dtv

Nach sechzehn Jahren Ehe entschließt sich Lillian, ihre Familie in Österreich zu verlassen und in ihre Heimat an der amerikanischen Ostküste zurückzukehren. Auf diese Weise will sie ihrer zunehmenden Isolation in der fremden Kultur und Sprache entkommen und zu ihrer früheren Kreativität zurückfinden. Ihr schwebt eine gemeinsame Zukunft mit einem jungen Musiker vor ... »Hier ist (wie schon in ihren früheren Büchern) eine Autorin am Werk, die in puncto psychologischer Kompetenz nicht so leicht ihresgleichen hat.« (Dietmar Grieser in der ›Welt‹)

Anna Mitgutsch wurde am 2. Oktober 1948 in Oberösterreich geboren, studierte Germanistik und Anglistik, war nach dem Studium einige Zeit Assistentin am Institut für Amerikanistik in Innsbruck. Danach längere Aufenthalte in Israel, England und Korea. Von 1979 bis 1985 unterrichtete sie in Boston deutsche Sprache und Literatur. Heute lebt die mit mehreren Literaturpreisen ausgezeichnete Schriftstellerin in Linz.

Anna Mitgutsch

In fremden Städten

Roman

Deutscher Taschenbuch Verlag

Von Anna Mitgutsch
sind im Deutschen Taschenbuch Verlag erschienen:
Die Züchtigung (10798)
Das andere Gesicht (10975)
Ausgrenzung (12435)

Alle Gestalten dieses Romans sind frei erfunden.
Ähnlichkeiten mit lebenden Personen sind zufällig.

Ungekürzte Ausgabe
Mai 1994
2. Auflage Oktober 1998
Deutscher Taschenbuch Verlag GmbH & Co. KG,
München

Mit freundlicher Genehmigung des Luchterhand
Literaturverlags GmbH, München
Umschlagkonzept: Balk & Brumshagen
Umschlagbild: Ausschnitt des Gemäldes ›Claunègne‹ (1972)
von Stanley William Hayter (© VG Bild-Kunst, Bonn 1998)
Satz: KCS GmbH, Buchholz/Hamburg
Druck und Bindung: C. H. Beck'sche Buchdruckerei,
Nördlingen
Gedruckt auf säurefreiem, chlorfrei gebleichtem Papier
Printed in Germany · ISBN 3-423-12588-8

Durch die raumhohen Glaswände der Transithalle sah sich Lillian die Flugzeuge an. Massig und träge, als könnten sie sich nie vom Erdboden erheben, standen sie in der Sonne, das flache, festbetonierte Rollfeld drängte die Landschaft an die Ränder des Horizonts, brachliegende Felder, Buschland, letzte Ausläufer Europas, das ihr nun nichts mehr anhaben konnte. Sie würde keinen Fuß mehr auf seinen Boden setzen, nicht einmal seinen Wind im Gesicht spüren, bevor das Flugzeug aufstieg.

Sie versuchte, Glück zu empfinden. Verlangte nicht der Augenblick nach einem starken Gefühl? Hatte sie ihn nicht oft genug vorweggenommen, zunächst schuldbewußt, entsetzt selbst über den Gedanken, später als Hintertür aus jeder ausweglosen Lage? Mit dieser Möglichkeit im Kopf hatte sie irgendwann begonnen, sich herauszuhalten – aus allzugroßer Nähe, aus der Verstrickung zwischen sich und allem, was sie eines Tages doch verlassen würde. Sieben Jahre hatte sie sich zunächst als Frist gesetzt, nicht länger. Sieben Jahre waren für sie das Maß, das eine äußerste Grenze des Zumutbaren markierte. Dann dauerte es fünfzehn, mehr als das Doppelte hatte sie ertragen wegen der Kinder, wegen des ungeplanten zweiten Kindes, das zu verlassen es immer noch zu früh war. Sie wußte, die anderen Frauen investierten sich selber ohne Vorbehalt, sie brauchten sich auf, bis nichts mehr übrig war, während sie sich heraushielt, zur Seite legte für die Zeit danach, sich sparte wie das Geld auf ihrem Konto für den Tag der Flucht.

Eines Tages ertappte sie sich dabei, wie sie sich Einzelheiten ausmalte: Wie sie packen würde, auf welche Gegenstände sie Anspruch hatte. Sie ging von Raum zu Raum, vermied die Kinderzimmer. Beim Anblick der bunten Bettdecken, der Kinderzeichnungen an den Wänden endeten ihre Fluchtphantasien. Vorläufig. Eine Szene, die sie gern vorwegnahm, war der Gang zum Reisebüro. Man kannte sie dort, sie war eine gute Kundin.

Wieder Innsbruck – Frankfurt – New York? würde man sie fragen, retour, APEX, wie üblich?

Nein, würde sie sagen, nicht retour, einfach.

Als sie dann vor dem Mann stand, bei dem sie jedesmal gebucht hatte, und *einfach* sagte, nein, nicht retour, nie mehr retour, hatte er vom Bildschirm aufgeblickt, ihr ins Gesicht gesehen, als habe sie ihren Tod angekündigt. Hätte sie stolz sein sollen auf ihren Mut, oder mußte sie sich schämen? Sie fühlte eine Mischung aus beidem, und Angst. Das alte Leben war unbewohnbar geworden, aber die Zukunft nahm keine Gestalt an, sie lag wie ein Küstenstreifen im Nebel am anderen Atlantikufer. Jetzt stand sie am äußersten Rand und konnte nicht mehr zurück.

Auf den Plastikbänken der Transithalle saßen Touristen, Amerikaner, geschwätzig und aufgeregt nach einem dichten, in wenigen Wochen absolvierten Programm europäischer Städte und Sehenswürdigkeiten. Der vertraute Akzent, die fast vergessenen Gesten drangen auf Lillian ein, so unvermittelt, daß es schmerzte, wie ein jäh wiederkehrendes Gefühl. Wie bei der Rückkehr ins Elternhaus, wo alles aufdringlich vertraut ist und unverändert, auch jene Dinge, die zum Fortgehen zwangen.

Nach Wochen voller Zweifel, von Phasen wilder Entschlossenheit und Aktivität unterbrochen, nach allen Vorbereitungen und Abschieden blieb jetzt nur die Erschöpfung, in der Vergangenheit und Zukunft belanglos waren, und Müdigkeit wie nach einem arbeitsreichen Tag, wenn es spät ist und man sich sagt, der Rest ist für morgen. Sie rutschte auf ihrem Sitz nach vorn, streckte die Beine aus und spürte, wie sich die Spannung löste, als sei sie beinahe am Ziel, und alles rund um sie sei bis auf den Grund durchschaubar, vertraut und ohne Überraschungen, und sie schon fast zu Hause.

Die Frau neben ihr, die ihr seit einer Weile neugierig auffordernde Blicke zuwarf, sprach Lillian an. Schon ihr Akzent beim ersten Wort der Frage wies sie als New Yorkerin aus: Fliegen Sie auch nach Hause? Lillian sah in ihr geschminktes Gesicht, die grauen Haarwurzeln am Grund der rötlich braunen Locken, und dachte, die ist einsam und reist aus Einsamkeit, hat ein *studio apartment* in Manhattan, vielleicht erwachsene Kinder, aber keinen Mann, viel Geld hat sie nicht und wenig Bildung, wahrscheinlich ist sie Angestellte oder Verkäuferin. Diese Sicherheit, sofort zu wissen, woran sie bei Menschen war, hatte Lillian in Europa nie gehabt.

Ja, sagte sie, ich kehre zurück.

Waren Sie auch auf Urlaub? Wo waren Sie überall?

Befremdet von der arglosen Neugier der Unbekannten wich Lillian aus: Nein, ich war nicht verreist, ich lebe hier, das heißt, ich habe hier gelebt.

Es fiel ihr wieder ein, wie oft am Anfang, als sie neu war in Europa, bei ihren Fragen erstauntes Mißtrauen in die Gesichter getreten war. Auf eine neutrale, teilnehmende Frage *Wo wohnen Sie?* war statt der Antwort die ausweichende Gegenfrage gekommen: *Warum?*

Es war ihr wichtig, daß die andere wußte: Ich spreche deine Sprache akzentfrei, ich gehöre zu euch, aber nicht ohne Vorbehalt, denn ich gehöre auch noch hierher, zu diesem Kontinent, den ihr verlaßt wie Fremde einen Urlaubsort. Wohin gehörte sie? Sie war sich schon seit langem nicht mehr sicher. Nur wenn ihr jemand die Entscheidung abnehmen wollte: Hierher gehörst du, zu uns natürlich!, dann wußte sie es mit trotziger Gewißheit: Nein, hier bin ich fremd, ich gehöre dahin, wo ich nicht bin!

Das Glück der Nähe war jedesmal schnell geschwunden, die Rührung beim Klang vertrauter Laute, die sie jetzt fühlte, würde ihr Tage nach ihrer Ankunft lächerlich erscheinen. Und mit der Zeit, das wußte sie schon jetzt, würde sie auch in Amerika auf ihre Weigerung pochen, sich fremdgewordene Sitten distanzlos anzueignen, der Zwiespalt, der ihr jede Harmonie zerstörte, würde bleiben.

Da könnte man wohl sagen, schlug die Frau versöhnlich vor, Sie sind Kosmopolitin?

Ja, sagte Lillian, vielleicht könnte man das sagen, und fühlte sich verstoßen.

Im Flugzeug saß sie eine Weile wie eingefangen in einem Traum, der auf der Kippe steht, sich in einen Alptraum zu verwandeln. Die Entscheidung, für sie bis zum Schluß ein provisorischer Versuch, nahm nun Gestalt an, ein Leben war zu Ende, und was würde werden, wenn es drüben kein anderes für sie gab? Wie leicht die Wirklichkeit sich entleerte und die Erwartungen sich verflüchtigten in reine Illusion. Zentnerschwer hätte sie sich gern gemacht, schwer genug, um das Flugzeug am Boden halten zu können, um Zeit zu gewinnen und noch einmal, von diesem Endpunkt aus, Entscheidungen zu wiederholen, zu verwerfen, alles ein letztes Mal von vorn zu beginnen. Aber das Flugzeug rollte auf die Piste hinaus, die Mittagssonne prallte grell von den Tragflächen ab und blendete sie, es gab keinen Aufschub und kein Umkehren mehr, sie verließ den Kontinent, auf dem sie ihr erwachsenes Leben zugebracht hatte.

Der Riß in ihrem Leben würde bleiben, keine Zeit würde ihn heilen, auch das war ihr bewußt. Zwei Leben und keines vorbehaltlos ihr Besitz, zwei Sprachen, sie würde sich dazwischen suchen müssen. Zwei feindliche Lager, denn jedes gab nur für sich allein Sinn. Jedes hielt eifersüchtig Teile von ihr besetzt, die nie mehr auszulösen waren. Manchmal, wenn sie sich nach Hause sehnte, war es ihr vorgekommen, als hätten die Jahre in der fremden Sprache sie um den größten, wichtigsten Anteil ihres Lebens gebracht, denn vieles ließ sich nie mehr wiederholen: Kinder großzuziehen mit der Unterstützung ihrer Umgebung anstatt verstohlen, gegen ihre Normen; von der vertrauten Sprache aufgefangen zu werden in Augenblicken großer Einsamkeit.

Allmählich, als das Flugzeug durch die getürmten Haufenwolken in klaren blauen Himmel stieß, brach ihre alte Abenteuerlust hervor, die Überzeugung, daß Veränderung Fortschritt sei und reine Zukunft vor ihr läge ohne das lästige Gewicht der Vergangenheit. Acht Stunden lang war sie in Sicherheit vor der Forderung, sich für irgend etwas anderes entscheiden zu müssen als für das Menü.

Sie holte ein abgegriffenes gelbes Schulheft aus dem Handgepäck, entschlossen schlug sie eine neue Seite auf, nichts lag nun mehr im Weg, alles war abgetan, der Alltag und die Unrast, die Kinder, der Beruf, die vielen Nebensächlichkeiten, die ihre Kraft verbraucht hatten, jetzt war sie ganz gesammelt und bereit. Was sie bisher in dieses Heft geschrieben hatte, waren Entwürfe und Fragmente, nicht bloße Tagebuchnotizen, dafür war sie zu ehrgeizig, zu sehr mit einem künftigen Publikum beschäftigt. Hier hortete sie die kargen Reste einer früheren Begabung, die am Versiegen, vielleicht schon längst verschwunden war, wie sollte sie das wissen, wo sie seit vielen Jahren abgeschnitten lebte von ihrer Sprache und einer Welt, die immer ferner rückte und dabei verblaßte. Sie hatte bisweilen auch versucht, auf deutsch zu schreiben, es war ihr gestelzt und lächerlich erschienen, wer schreibt sich denn schon selber Briefe in einer fremden Sprache? Jeden Tag schreiben, zumindest eine Seite, die Übung nicht verlieren und die Disziplin, sie hatte sich daran gehalten und sieben Hefte damit gefüllt, sie später nie mehr durchgelesen, immer nur geübt für jene Zeit, in der sie frei sein würde, sich ihrem Werk zu widmen, dem einzigen, was zählte. Jetzt gab es keinen Vorwand mehr zu warten, jetzt konnte sie beginnen, jetzt gleich. Doch sie empfand nur Widerwillen, fast Abscheu. Dafür also bin ich weggegangen, schrieb sie schließlich. Sogar die Buchstaben sträubten sich widerspenstig und ungelenk auf dem leeren weißen Blatt. Sie gab auf. Es gibt noch andere Gründe, dachte sie, und andere Möglichkeiten.

Ich kann hier nicht mehr leben – irgendwann hatte sie begonnen, den Satz zu denken, anfangs nur in

Augenblicken zorniger Empörung, später täglich als Antwort auf jede Frage nach der Zukunft. Er war die Lösung, wenn sie sich verlassen fühlte, wenn sie am Leben litt. Er war die beste Waffe gegen Josef. Nie sagte er, dann geh, er fühlte sich schuldig und versuchte, sie zum Optimismus zu überreden. Nach ein paar Jahren war der Satz so abgenützt, daß Josef sich vorsichtig darüber lustig machen durfte. Für Lillian war er gleichbedeutend mit einem andern Satz: Ich halte dieses Leben, in dem ich eingesperrt bin, nicht mehr aus. Wer konnte überprüfen, ob es das fremde Land war, die Stadt, die Sprache, ihre Ehe oder bloß das Durchschnittsleben einer verheirateten Frau.

Am Ende war es schwer für Josef zu begreifen, daß sie nicht mehr bloß provozierte, daß es ihr Ernst war, sie wollte wirklich keinen Monat länger bleiben.

Das hast du schon öfter gesagt, beschwichtigte er sie zunächst, und bist doch jedesmal geblieben, und es hat immer wieder gute Zeiten gegeben.

Er hatte recht, doch diesmal war es etwas anderes, sie wollte nicht mehr warten, sie war schon neununddreißig, und es war höchste Zeit.

Und wenn es drüben diesen Mann nicht gäbe, sagte Josef, wie heißt er, diesen Alan, dann würdest du auch diesmal bleiben und dich nur von Zeit zu Zeit beklagen, um einen Grund zu haben, weshalb du dich nicht anpaßt.

Sie schwieg. Die Art, wie er den Namen aussprach, falsch noch dazu, wie etwas Anstößiges, Gemeines, etwas Verächtliches, machte sie wütend und trotzig wie ein Kind, dem man seinen geheimsten Wunsch auf den Kopf zusagt und zugleich verbietet. Das Unerhörte, nie zuvor Erlebte, für das sie keine Worte hatte als solche, deren sie sich schämte, *Magie, Verzauberung*, das war für Josef lange noch kein Grund, etwas so Dauerhaftes wie ihre Ehe zu zerstören. Er war sogar bereit, ihr zu verzeihen, das gibt sich, hatte er gesagt, was ist das schon im Vergleich zu allem, was wir zusammen hatten, den Kindern, den vielen Jahren, den Erinnerungen.

Um an seiner Sicherheit zu rütteln, sagte sie schließlich, was sie nie hatte sagen wollen, eine halbe Wahrheit, eine Übertreibung: Dich hab ich überhaupt nie geliebt, ich hab dich nur benutzt, um von zu Hause fortzukommen und meiner Begabung eine Chance zu geben, ich wollte viel erleben, es war Berechnung. Sie hatte diesen Satz so oft in Gedanken vorweggenommen, sich vorgestellt, wie sie ihn fallenließ, den Stillstand danach, die Zerstörung, jetzt war er beinah wirkungslos verpufft wie eine lächerliche Drohung, die keiner ernst nahm. So war es immer, wenn sie etwas aussprach, das sie für eine große Wahrheit hielt, es fiel in sich zusammen wie abstrakte leere Wörter, die sie nicht fühlen konnte, nur übersetzen, und dann stimmten sie nicht mehr.

Vielleicht, mutmaßte sie, kann man einen Menschen nur wirklich lieben, wenn man die Welt liebt, die ihn geprägt hat.

Er schüttelte den Kopf, als sei es sinnlos, mit ihr zu streiten. Hast du auch dafür schon eine Erklärung, warum du deine Kinder verläßt? fragte er.

Lillian schwieg.

Da fehlen dir die Phrasen, sagte Josef mit bitterer Genugtuung.

Sie betrachtete ihn kühl, wie er in der nüchternen Helligkeit des Wohnzimmers stand, mutlos und verletzt und so verloren, als wäre der Raum um ihn gewachsen. Zum erstenmal ging es nicht mehr um Macht, sondern um etwas anderes, das dahinter lag, zu dem sie nie vorgedrungen waren, sie wünschte fast, es läge ihr daran herauszufinden, was es war. Aber es war zu spät, es war ihr gleichgültig, was er jetzt fühlte, seine Gefühle waren seine Sache, sie sah ihm dabei zu.

Das heißt nicht, daß ich dich nicht gern gehabt hätte, begann sie zu erklären, aber es war eben nicht ... Sie suchte nach dem richtigen Wort.

Die große Leidenschaft, ergänzte er. Es schien, als wolle er sich mit seinem Spott selber Schmerz zufügen.

Er wandte sich ab mit einer kläglich hochmütigen Geste, die sagte, ich leide, aber ich bewahre Haltung. Noch nie zuvor hatte er so schnell aufgegeben, ihr ihre eigenen Gedanken und Motive zu erklären, bis er überzeugt war, daß er sie bis ins Innerste durchschaute und im Griff hatte.

Du magst Natur nicht, hatte er einmal behauptet.

Doch, ich mag Natur, wie kommst du drauf? hatte sie protestiert. Aber er hatte darauf bestanden, daß sie ein Stadtmensch sei und für Natur nichts übrighabe, er hatte ihre Einwände entkräftet, ihr Verhalten bei jedem Spaziergang analysiert, nicht vorwurfsvoll, sondern ganz sachlich, es ginge ja nicht um Wertung, sondern nur um die simple Feststellung, daß sie Natur nicht mochte. Von mir aus, hatte sie schließlich zermürbt zugegeben, es kann ja sein. So hatte er sie Schritt für Schritt festgelegt und seiner Ordnung einverleibt. Er war so überzeugend, so klar und logisch, daß sie, um Argumente meist verlegen, nur spürte, sprachlos und wütend, er nimmt mir etwas weg, er schiebt mir etwas in die Schuhe, das nicht mir gehört.

Jetzt sind wir quitt, dachte sie und fühlte einen Funken boshafter Schadenfreude, der sofort erlosch.

Er stellte den Fernseher ohne Ton an und starrte auf den Teppich, das Schweigen war quälend, auf dem Bildschirm lief eine grotesk fröhliche, tonlose Show. Ob er sie jetzt wohl haßte oder blind vor Wut sich zu beherrschen suchte? Unsicher stand sie hinter ihm, hatte sie früher auch nie gespürt, was er fühlte, war er ihr schon lang so fremd?

Weißt du noch, wie wir im ersten Herbst auf den Großglockner gefahren sind? fragte er, als führe er ein Selbstgespräch, damals warst du so offen für alles, so neugierig.

Sie sah den grimmigen Schmerz in seinem Gesicht. Aber sie erinnerte sich nur an Landschaften, die als Fotografien in irgendeinem Album klebten, an ein Foto von ihr, auf dem sie von einer niedrigen Mauer blind in die Sonne blinzelte, und sie hatte eine vage Erinnerung an einen klaren Herbsttag im Hochgebirge, an gelbe Lärchenäste, mit Wasserperlen an den Nadeln, kostbar und vergänglich. Woran erinnerte er sich? Gab es ein besonderes Ereignis, das er damit verband, das unvergeßlich sein sollte, irgendeinen Augenblick, dem spätere Erlebnisse Symbolwert aufgeladen hatten?

Das war sehr schön, sagte er, ohne sie anzusehen. Damals waren wir sehr verliebt, beide, du auch, den ganzen Herbst, bis zu deiner Abreise im Winter, es steht in deinen Briefen, die hab ich noch.

Die alten Briefe. Sie wußte, wo er sie aufbewahrte, eine ganze Schublade voll. Die Poststempel im

Abstand von wenigen Tagen, höchstens einer Woche. Dicke Briefe, so eng beschrieben, daß es ihr bald zu mühsam gewesen war, sie zu öffnen oder gar zu lesen. Dazwischen Ansichtskarten und Fotos, damit er sich auch genau vorstellen konnte, wie ihr Zimmer aussah, der Campus, das Haus in Yonkers. Die Aufregung seiner Finger beim Öffnen der Briefe konnte man an den gezackten, zerfetzten Rändern der Kuverts ermessen. Wie lächerlich, wie traurig diese Spuren zitternder Ungeduld, mit der er sich gesehnt hatte zu erfahren, was sie dachte und fühlte.

Damals bist du glücklich gewesen, wiederholte er mit sturer Eindringlichkeit, und wir dachten, es könnte uns nichts Besseres mehr passieren.

Ich erinnere mich nicht, sagte sie leise. Ganze Stücke Vergangenheit, die sich mit nichts füllen ließen.

Daß Josef auf Lillians Abreise nicht vorbereitet gewesen war, zeigte sich an seinen widersprüchlichen Reaktionen. Er konnte sich nicht entscheiden, ob er sie distanziert und streng mit Schweigen bestrafen sollte, oder ob sich ihr Entschluß wie eine Laune verflüchtigen würde, wenn er so tat, als wäre nichts geschehen. Doch nachts, wenn sie spät noch aus dem Schlafzimmer kam, oder manchmal, wenn sie unerwartet nach Hause zurückkehrte, fand sie ihn im Wohnzimmer am Telefon, und immer wieder schnappte sie dieselben Sätze auf, bevor er sie bemerkte und verstummte: Ist denn euch ihre Veränderung aufgefallen? Daß sie auf einmal anders war? Was heißt, immer schon? Was soll ich tun? In seiner Angst vor dem Alleingelassenwerden versammelte er seine Familie um sich, suchte ihren Rat, ihr Mitgefühl, fragte immer von neuem:

Was würdest du an meiner Stelle machen? und sank entmutigt in sich zusammen: Das kann ich nicht.

Sie wußte, seine Familie verurteilte sie, sie konnten nicht verstehen, hatten nie verstanden, was in ihr vorging, wer sie war, sie hatten nie gefragt. Der eine Zweig seiner Verwandtschaft, seine Schwester, die Tante, die in Salzburg lebte, hatten sich um sie bemüht, versucht, sie als Familienmitglied aufzunehmen, und auch Lillian hatte sich bemüht, sich dankbar zu erweisen. So hatten sie sich fünfzehn Jahre lang Mühe gegeben und sie behandelt wie einen Ehrengast, ihr bei Tisch die erste Portion gereicht und nie vergessen, sie zu fragen, ob es ihr schmeckte, und immer, wenn man Fragen an sie richtete, begann man freundlich aufmunternd zu nicken, kaum daß sie zu reden anfing.

Die sind in Ordnung, hatte Josef ihr versichert, im Unterschied zu seiner Mutter und ihren Brüdern, die sie immer abgelehnt hatten, die mögen dich, sie mögen dich wirklich.

Ja, sie bemühen sich, hatte Lillian gesagt, sie geben sich große Mühe.

Aber sie blieb die Fremde, auch bei ihnen, trotz allen guten Willens. Es gab zuviel an ihr, was ihnen unverständlich war, es gab so vieles, was sie nicht wußten. Sie hätten nicht einmal gewußt, wie sie danach hätten fragen sollen. Es war niemandes Schuld, daß sie sich ihr nach fünfzehn Jahren immer noch wie einem Gast zuwandten, aufmerksam und freundlich, und erleichtert in die Intimität ihres Dialekts zurückfielen, wenn sie miteinander redeten. Dann änderte sich auch ihr Tonfall, ihr Gesichtsausdruck. Ohne Lillian waren sie unter sich, manchmal vergaßen sie ihre Gegenwart, und Lillian beobachtete sie von außen, eine österreichische Familie mit ihren besonderen Gebräuchen und Geheimnissen, ihren Rivalitäten und Spannungen, ein bißchen erstickend und zugleich bergend. Wenn sie an Feiertagen zur Tante fuhren, fanden Josef und die Kinder sofort ihren Platz, sie brauchten Lillian nicht mehr, schienen sie nicht zu wollen, sie sogar absichtlich zu ignorieren, und Lillian fühlte sich im Stich gelassen. Sie saß dann in der Küche bei den Frauen und wurde ihr Unbehagen nicht los, eine unterdrückte Angst, etwas falsch zu machen, etwas Unpassendes zu sagen oder im Weg zu sein. Sie war jedesmal beim Abschied erleichtert, und auch die andern waren beim Abschied besonders herzlich. Und manchmal fing sie beim Essen oder später im Wohnzimmer den begehrlichen Blick des Schwagers auf, der sie ansah wie ein fremdes, exotisches Tier.

Im Juli, als Lillian bereits ihren Flug gebucht hatte, kam Josefs Schwester zu Besuch. Sie kam am Vormittag, um mit Lillian allein *über diese Sache*, wie sie die Trennung nannte, zu reden. Vorsichtig, zurückhaltend sah sie sich um, betrachtete die Topfpflanzen auf der Veranda, die in der Hitze schmachteten, nippte am Kaffee und vermied Lillians Blick. Es fiel ihr schwer, den Anfang zu finden, aber sie hatte sich vorbereitet und sich die Worte zurechtgelegt, und schließlich gab sie sich einen Ruck: Man muß verzichten können, sagte sie, man muß an die Kinder denken, die können ja nichts dafür. Man muß bei dem bleiben, was man einmal begonnen hat, und man muß auch die Männer verstehen, die sind halt nun einmal so, wie sie sind, es gibt schlechtere als den Josef. Man muß mit dem Leben zufrieden sein und das Beste draus machen, sie sagte es so hoffnungslos, als könne sie sich selber nicht ganz davon überzeugen. Sie wiederholte sich in ihrer Litanei von Entsagungen, warf hie und da einen schnellen Blick auf Lillian und verstummte endlich entmutigt. Lillian schwieg und fand kein Wort und keine Geste der Annäherung. Die Schwägerin hatte nicht ein einziges Mal *ich* gesagt oder *du*, sie hatte nichts von sich und ihrem eigenen Leben preisgegeben, keine Frage gestellt, mit keiner Andeutung zu erkennen gegeben, ob sie von Alan wußte. Am Ende seufzte sie und stand auf, als habe sie eine von Anfang an zum Scheitern verurteilte Mission erfüllt und ließe nun den Dingen reinen Gewissens ihren Lauf.

Lillian blieb an der Tür stehen und schaute ihr nach und dachte, warum können wir nicht miteinander reden, wer bin ich für diese Frau die ganzen Jahre gewesen? Die Ausländerin, deren Hauptmerkmal vor allen anderen Eigenschaften es ist, immer fremd und nie ganz geheuer zu sein, nie vertrauenswürdig genug für ein Gespräch, persönlich, direkt und ohne Vorsicht, die man unwillkürlich allem Fremden gegenüber wahrt, nie zugehörig, im besten Fall mit Anstand geduldet? Warum war es ihr selbst bei Josefs Verwandten nie gelungen, die Fremdheit und das gegenseitige Unbehagen, ihr ungreifbares, stets geleugnetes Mißtrauen zu überwinden? War es ihr eigenes Mißtrauen oder das der andern, ihre Überheblichkeit vielleicht, mit der sie selber auf Abstand beharrte? Nun fragte auch sie sich wie Josef spät abends am Telefon: Habe ich selber den Punkt verpaßt, an dem mit meinem Zutun alles anders hätte kommen können? Habe ich mein Anderssein zu aufdringlich betont, habe ich mich zuwenig angepaßt? Als wäre Anpassung eine Sache des guten Willens. Mußte sie sich nicht schützen vor dem Fremden rundum, um sich nicht ganz zu verlieren? Der Trotz machte ihrer Gewissenserforschung schnell ein Ende: Die andern waren viele, durch Übereinstimmung vor Zweifeln geschützt, aber sie war allein mit ihrem Anderssein und mußte es bewahren, um sich nicht selber abhanden zu kommen.

Aber war es denn noch etwas Nennenswertes, von einem Land in ein anderes zu übersiedeln, an einem Ort fern von allem Vertrauten zu leben, wenn nötig in einer fremden Sprache? Sie schauderte bei Wörtern wie *anpassen*, *assimilieren* und wurde starr vor Abwehr.

War sie nicht freiwillig ausgewandert, aus Abenteuerlust, aus Liebe zu einem Mann? Das hättest du dir vorher überlegen müssen, hieß es später, wenn sie sich beklagte. Als ob sie sich wirklich vorher jeden Schritt und jede spätere Situation hätte vorstellen können, solange sie noch besaß, was erst dann so viel bedeutete, als sie es nicht mehr hatte? Damals, als es ernst wurde und sie den Inhalt ihres spärlich möblierten Studentenzimmers in zwei große Holzkisten zu packen begann. Hätte sie damals, als die Möbelträger alles, von dem sie sich nicht trennen konnte, auf einen Wagen luden und sie der bewunderte Star unter ihren Mitstudentinnen war, bereits ahnen können, wie fremd sich diese mit Sehnsucht angereicherten Gegenstände in der neuen Umgebung ausnehmen, wie unbrauchbar sie werden würden, weil sie zuviel Vergangenheit und keine Gegenwart enthielten?

Aber vielleicht gab es ja Menschen, die sich widerstandslos und ohne Rückstände in eine fremde Umwelt einpassen ließen wie ein Teil von einem Puzzle.

Einmal, auf irgendeinem Flughafen, hatte sie eine Frau beobachtet, deren kantiges europäisches Gesicht in auffallendem Gegensatz zu ihrer amerikanischen Kleidung stand. Sie redete englisch mit einem kehligen Akzent, dessen Herkunft nicht erkennbar war. Es war die Art, wie sie redete, die Lillian faszinierte, mit verkrampftem Gesicht und gestrafften Halsmuskeln, als hätte sie Schmerzen. Lillian konnte ihre Augen nicht von diesem beängstigend angespannten Gesicht abwenden, den einstudierten Bewegungen, mit denen sie die Zigarette zum Mund führte, den Kopf zurückwarf, wie eine schlechte Schauspielerin, aber sie konnte sich auch nicht erklären, was sie an dieser Frau so sehr verstörte. Dann wandte die Frau sich ihrem Kind zu, das zwischen ihr und Lillian saß, mit einem deutschen Satz, und plötzlich ergab das zuvor beinahe groteske Gesicht Sinn, es hatte seine Richtigkeit. Ihre Kiefer entspannten sich, minutenlang verwandelte sich ihr Gesicht, verjüngte sich in das einer weichen, fast mädchenhaften Frau, die das Leben frühzeitig verhärtet hatte. Es hatte seinen Platz durch den nun erkennbaren Ort seiner Herkunft, irgendwo in Süddeutschland.

Ist es das, hatte Lillian entsetzt gedacht, was andere an mir sehen, dieses Fehl-am-Platz-Sein ohne sichtbaren Grund? Ist es das, was ein fremdes Land aus Menschen macht, und oft merken sie es nicht einmal?

Und sie selber? War sie sich denn sofort ihrer Entwurzelung bewußt gewesen? Wenn wir es merken, dachte Lillian, haben wir schon zuviel aufgegeben, zu unwiderruflich, um es noch rückgängig machen zu können. Und wie denn auch, in einer Umgebung, der die Vergangenheit eines Fremden nicht mehr bedeutete als ein Ärgernis, das er für sich behalten und verbergen mußte, bis es verkümmerte? Danach, wenn man Glück hat, dachte sie bitter, wird man aufgenommen, die geforderte Selbstentäußerung wurde geleistet, man ist assimiliert. Und niemand außer den Entwurzelten kann sich das Entsetzen vorstellen, das jeden Auswanderer heimsucht, vielleicht nur nachts, wenn sich die Dimensionen und Notwendigkeiten verkehren, vielleicht nur in den Träumen, diesen Fall ins Bodenlose, wenn die letzte Bindung zur Vergangenheit, zur eigenen Sprache, zu den Wurzeln, die einen nährten, durchschnitten ist und nichts mehr übrigbleibt als die Fremde, die das gebrachte Opfer nicht einmal registriert.

Darüber hatte sie mit niemandem reden können, weder mit Josef noch mit seiner Familie, auch nicht mit ihren Freunden. Jedesmal, wenn sie das Thema anschnitt, hatte man sie wissen lassen, durch vorwurfsvolles Schweigen oder rechthaberische Fragen, daß es unhöflich und undankbar sei, sich fremd zu fühlen und darunter zu leiden.

Nur eine hatte sie in den fünfzehn Jahren kennengelernt, mit der sie über das Fremdsein reden konnte, Kathrin, die selber nirgends hingehörte, weil sie zu lange fortgewesen war. Sie waren zufällig an einem Partybüffet ins Gespräch gekommen, beide erfreut über den Zufall, daß die andere fließend Englisch sprach. Woher kommst du, hatte Lillian gefragt, auf jede Antwort vorbereitet, nur nicht auf die: Von hier, ich bin hier geboren und aufgewachsen.

Unmöglich, hatte Lillian ausgerufen, nicht einmal dein Gesicht paßt hierher, nichts an dir, wie du dich anziehst, wie du dich bewegst, wie bist du das alles losgeworden? Sie machte eine ausholende Handbewegung, die den ganzen Raum umfassen sollte, die Stadt, die Gegend, vielleicht das ganze Land, und stieß dabei Kathrin das Weinglas aus der Hand.

So ein schönes Kompliment hat mir schon lange keiner gemacht, sagte Kathrin.

Aber auch Kathrins Offenheit hatte ihre Grenzen, wenn es darum ging, das eine Land mit dem andern zu vergleichen, Vorurteile zu erkennen, da, wo sie trotz allem mehr als anderswo zu Hause war. Sie kannte das Heimweh und auch den schnellen Überdruß, der es ablöste, wenn man zurückkam, sie wußte, wie man sich an manchen Tagen vor der fremden Sprache fürchtete, weil man zu müde oder zu zerstreut war, sie fehlerlos zu meistern, und daß es Zeiten gab, wo jedes Telefongespräch einem die Angst einflößte zu versagen.

Vielleicht, sagte Kathrin einmal, fiele es dir jetzt leichter, wenn du zehn Jahre früher hergekommen wärst, mit dreizehn oder vierzehn, wenn du in ein Gymnasium gegangen wärst statt drüben in eine *high school* und wenn du alte Schulfreundschaften hättest, mehr gemeinsame Erinnerungen ...

Der Gedanke erregte in Lillian Widerwillen, es war ihr unangenehm, sich vorzustellen, mehr, als zum Überleben notwendig war, von der fremden Kultur anzunehmen und von der eigenen auch nur das Geringste einzubüßen.

Zu Hause, erklärte Lillian, hab ich so intensiv gelebt, das Meer im Sommer, und lachen hab ich können, hier lache ich nie, und dann die Sprache, im Englischen, da fühlt man jedes Wort, man kann es schmecken, riechen ...

Was für eine Vergeudung, sagte Kathrin, ein ganzes Leben am falschen Ort.

Von nun an versuchte Kathrin nicht mehr, Lillian zu überzeugen, daß das Leben im Ausland eine Chance war, sich selber ohne das Gewicht der Vergangenheit neu zu entwerfen, und als Lillian sie anrief: Es ist so weit, ich gehe, rief Kathrin: Großartig, daß du es geschafft hast. Sie hatte verstanden, daß das Leben, das alle anderen für ausreichend hielten, für Lillian ein langsames Schrumpfen bedeutete und sie ihre ganze Kraft brauchte, um sich dagegen zu wehren und an sich selber festzuhalten. Denn jedes Wort und jede Erfahrung führte sie mitten in eine Abwesenheit hinein. Alles Vorhandene zeigte ihr, daß sie nicht mitgemeint war, nicht vorgesehen, in keinem Plan, jedenfalls nicht so, wie sie war. Und diese Abwesenheit weitete sich aus mit der wachsenden Sehnsucht nach Orten und Menschen, die sie vermißte, und war am Ende die stärkste Gegenwart, so gegenwärtig, daß alles Wirkliche, selbst die eigene Familie, sich dagegen wie Schatten ausnahm.

Die Fahrt zum Flughafen war zum Glück kurz gewesen, ein beliebiges Ende, so beliebig wie die Wohnblöcke am Rand der Stadt, die sie hinter sich ließen. Die letzten Worte und letzten Blicke hätten besonders bedeutungsschwer sein sollen und fielen kläglich aus. Sie warf einen Blick auf Josefs unbewegliches Profil. Er war jetzt im Vorteil, seine Situation war tragisch, etwas stieß ihm zu, ein Verlust, ein Unrecht, und er zeigte Großzügigkeit und Charakterstärke, indem er sie auch noch zum Flughafen brachte. Sie hatte keine Entschuldigung, sie stahl sich fort und konnte sich nur elend fühlen.

Von den Kindern hatte sie sich verabschiedet, als fahre sie für ein paar Wochen in Urlaub. Sobald ich eine Wohnung habe, kommst du mich besuchen, hatte sie zu Niki gesagt.

Sie wußte, daß sie log, und auch die Kinder wußten, daß dieser Abschied anders war als frühere. Sie hatte sich in den letzten Wochen von den Kindern zurückgezogen, sie wußte nicht mehr, was in ihnen vorging, als sie die Koffer stehen sahen, die reisefertige Mutter, der sie gefaßt die Gesichter zum Abschiedskuß hinhielten, als wäre sie jetzt schon eine Fremde, die nicht mehr mit Gefühlen behelligt werden durfte. Josef nahm ihre Koffer auf und legte soviel Verachtung und Abscheu in seinen Blick, daß es schon wieder unecht und theatralisch wirkte.

Daß du das fertigbringst ... Er schüttelte den Kopf, ich versteh vieles, aber das nicht, das wirklich nicht.

Die Kinder hast du mir schon längst entfremdet, sagte sie, sie durften ja nichts von mir annehmen, nicht einmal die Sprache, nichts war gut genug.

Ich konnte dir doch nicht erlauben, daß du auch noch die Kinder zu Ausländern machst, rief er rechtschaffen empört, irgendwo müssen sie dazugehören.

Wir können nicht miteinander reden, dachte sie, noch immer nicht, schon gar nicht über dieses Thema. Aber jetzt war es gleichgültig, sie konnten einfach schweigen, anstatt wie früher zum Dialog zurückzufinden mit Sätzen wie: Vielleicht habe ich mich falsch ausgedrückt ... oder: Vielleicht verstehst du mich jetzt nicht richtig. Bei solchen Sätzen hatte sie immer ein Gefühl, als bewege sich der Boden unter ihren Füßen, nichts mehr war verläßlich, am allerwenigsten, daß sie mit ihrem unsicheren Sprachvermögen die Wirklichkeit einfangen und formulieren konnte, daß andere wirklich hörten, was sie meinte, und daß sie selber begriff, wie das gemeint war, was sie sagten. Dann überkam sie ein überwältigendes Gefühl der Hilflosigkeit und Einsamkeit. Es schien ihr sinnlos, sich aufzulehnen, sinnlos, zu erklären. Sie würde nie verstehen und nie verstanden werden. Es fehlte ihr die schnelle Gegenwehr der Ironie, der entwaffnende Humor, es fehlte ihr die Freude an der anderen Sprache. Schwerfällig formulierte sie die Sätze in ihrem Kopf und brachte sie zu spät vor, um damit noch zu überraschen. Den Kampf um Worte verlor sie immer, und ihr Verstummen glich einer Kapitulation.

Am Anfang, als sie Josef kennenlernte, trug ihr Akzent zu ihrer Anziehung bei, er ahmte ihre Fehler nach und fand sie so hinreißend, daß er sie dafür sofort küssen mußte. Er hatte sich einen exotischen Vogel eingefangen, der alle Regeln, sogar die der Sprache, mit einer ahnungslosen Selbstverständlichkeit ignorierte, so daß selbst der Abglanz ihrer Freiheit, die auf ihn fiel, ihn noch berauschte.

Sie hatte ihn im Zugabteil angesprochen. Es war das erstemal, daß ihn ein Mädchen ansprach und ihm die Qual abnahm, den richtigen Augenblick abzuwarten, die richtigen Worte zu finden und nicht dabei am eigenen Herzklopfen zu ersticken. Nach einer Woche fragte er: Warum hast du mich damals im Zug angesprochen? Sie enttäuschte ihn mit der ihr eigenen Direktheit: Weil mir fad war. Und weil ihr fad war, redete sie viel mit ihrem schauderhaften Akzent, der ihn an Country- und Westernmusik erinnerte, er lachte viel, weil sie so angeregt erzählte, und verstand wenig, aber als sie am Westbahnhof ankamen, war er überzeugt, sich noch nie so gut mit jemandem unterhalten zu haben. Darf ich Sie einmal zum Essen einladen, fragte er, während sie durch die Bahnhofshalle gingen, und sie rief gleich erfreut, das ist eine wunderbare Idee, ich bin schon so hungrig. *Wunderbar* gehörte zu ihren Lieblingswörtern. Sie gingen Pizza essen, und Josef schaute sich schnell verschämt um, ob ihnen jemand zusah, als sie ein riesiges fädenziehendes Pizzadreieck in die Hand nahm und es mit aufgestütztem Ellbogen wie ein Stück Brot aß.

Jeden Tag überraschte sie ihn von nun an mit einer neuen Ungeheuerlichkeit, die sie sich herausnahm. Ja, darf man denn das, dachte er mit dem wohligen Kitzel, Verbotenes geschehen zu lassen und Zeuge ihrer Übertretungen zu sein, aber nichts passierte, und er wurde mutig an ihrer Seite, geradezu ausgelassen und zog Arm in Arm mit ihr durch Wien, als befände er sich im Delirium eines permanenten Faschingszuges. Sie saßen im Kino und sahen ›Easy Rider‹ und schneuzten sich in dasselbe Papiertaschentuch. Die Wüste, flüsterte sie ergriffen, die endlosen Straßen, und daß man fährt und fährt, das ist Amerika. Für ihn gab es keinen Unterschied zwischen Film und Wirklichkeit, die Weite, die Freiheit, Amerika, das war sie, in ihr nahm es Gestalt an, und er eroberte das erträumte Land, indem er sie besaß. Die anderen Studenten seiner Generation hatten ihre kollektiven Revolten, er erlebte seine eigene, ganz private Revolution.

Wohin war die Freiheit gekommen, die sie sich damals, mit zweiundzwanzig, so selbstverständlich genommen hatte? Josef war für sie nur ein kleiner Teil davon gewesen, er amüsierte sie als dankbares Publikum, es war so leicht, ihn zu schockieren, die Hauptdarstellerin war sie und Wien eine in der Erinnerung fast schon unwirkliche Kulisse, seltsam menschenleer, in der die Straßen fehlten, die Details, die eine Stadt alltäglich machen.

Wann hatte sie der Mut verlassen, der keiner war, nur Ahnungslosigkeit von den Menschen dieser Stadt und ihren Regeln, nur Unwissenheit über die fremde Kultur?

Sie hatte sich selber zugesehen, immer irgendwohin unterwegs, immer in Gesellschaft, sie wußte, daß ihre Fremdheit gehemmte, ängstliche Menschen wie Josef anzog, sie spürte ihre Macht und wurde süchtig, dachte, die Rolle ließe sich immer weiterspielen, wenn sie bliebe.

Als sie zurückkam, um zu bleiben, wurde alles anders, Wien hatte plötzlich Straßen mit grauen eintönigen Gebäuden, Ämtern, in deren Korridoren man sich leicht verirrte, und gehässige Menschen, die sie nicht mehr ignorieren konnte. Die Leichtigkeit verschwand.

Sie heirateten. Von der Familie seiner Mutter bekam sie zum erstenmal zu spüren, daß es ein unverzeihlicher Makel war, Ausländerin zu sein. Sie sei nicht fügsam und dankbar genug, ließ man sie durch Josef wissen, was glaube sie denn, wer sie sei? Man wüßte nichts von ihr, und sie hielte es nicht für nötig, von sich und ihrer Herkunft zu berichten. Warum wollt ihr nur standesamtlich heiraten? wollten sie wissen. So, sie ist nicht katholisch, dann kann sie es ja werden, sie heiratet schließlich in eine katholische Familie, wie will sie die Kinder denn erziehen? Sie nehmen es dir übel, sagte Josef, aber sie werden sich schon daran gewöhnen.

Wie heißt du, fragten sie und konnten ihren Namen nicht behalten. Wie, Vivien? Nicht? Lilien?

Lillian.

Aber das sage ich doch, Lilien.

Dabei blieb es, fünfzehn Jahre lang hieß sie für die Verwandtschaft Lilien. Sie machten keinen Hehl daraus, daß sie Josefs Wahl mißbilligten und nicht verstanden. Gab es denn nicht genug einheimische Mädchen, über deren Herkunft und Charakter man sich hätte informieren können? Ob ihre Schwester, die als einzige aus Amerika zur Hochzeit gekommen war, denn ihre einzige Verwandte sei? Was mit den Eltern sei? Fragen, wie bei einem Verhör, in unnatürlichem gestelzten Hochdeutsch, laut, als wäre sie schwerhörig oder sehr weit entfernt. Verstohlene, mißtrauische Blicke, Tuscheln hinter vorgehaltener Hand. Sie saß an der Hochzeitstafel, lächelte verzweifelt und war dem Weinen nahe.

Josef hatte recht gehabt, allmählich gewöhnten sich Lillian und seine Familie aneinander, doch ein Familienmitglied wurde sie nie. Die Quellen, aus denen sie lebte, blieben ihnen unvorstellbar fremd, und keiner kannte ihre Normen und wußte, wie weit sie abwich, keiner konnte sagen, die Maske, die du trägst, paßt nicht zu dir. Sie sagten lieber, ich mag sie nicht, sie ist von unseren Speisen nicht begeistert, sie geht nicht mit zu unseren Festen, sie ist so anders, so sonderbar. Sie fragten nie, wer bist du wirklich, wer warst du früher? Sie war Josefs Frau, die Mutter seiner Kinder, das war genug.

Auch Josef hatte sich verändert. Er war nicht mehr wie früher, ausgelassen und zu jedem Spaß zu haben, er spielte nicht mehr mit, wenn sie auf sein *Warum?*

mit einem herausfordernden *Warum nicht?* antwortete. Plötzlich bestand er auf Pünktlichkeit, gebügelten Hemden, sortierten Socken, Mahlzeiten, wenn er von der Arbeit heimkam, und daß sie ihn nicht störte, wenn er sich Akten mit nach Hause nahm, um bis spät nachts zu arbeiten. Er wollte nicht mehr nächtelang diskutieren, er wollte Ruhe.

Sie übersiedelten nach Innsbruck, Lillian wurde schwanger. Sie fühlte sich einsam und deprimiert. Wir können nicht mehr miteinander reden, sagte sie, warum? Gab es nichts mehr zu erzählen, wußten sie wirklich alles voneinander, oder hatten sie aufgegeben, den anderen zu verstehen? Sie kannte die Geschichte seiner Kindheit, und er kannte die ihre, aber die Schauplätze und die Gefühle, die an ihnen hingen, blieben ihnen unzugänglich. Sie konnten mit den Berichten ihrer Verletzungen und Demütigungen nichts anderes auslösen als Schuldzuweisungen, wenn sie stritten. Was kann denn ich dafür, daß dein Vater dich ignoriert hat, rief er dann, ich bin nicht dein Vater. Du verstehst mich nicht, sagte sie, du kannst mich nicht verstehen, ich will Abwechslung, Farbe in meinem Leben, das kannst du dir nicht einmal vorstellen, du Spießer. Er war bemüht, ihr das zu bieten, was er unter einem guten Leben verstand. Sie gingen wandern, sie gingen manchmal ins Theater, ins Kino, er fuhr mit ihr an Seen, nach Italien. Aber kein noch so schöner Ausflug, kein noch so ereignisreicher Tag reichte an dieses Gefühl grenzenloser Freiheit damals in Wien heran.

Am Anfang, vor der Ehe, waren sie bemüht gewesen, das Fremde im anderen zu begreifen, sie hatten nicht genug vom anderen erfahren können, und alles war so faszinierend und so neu, und was sie zu erzählen hatten, war wichtig und bedeutend. Mit dem Wagemut von Forschern hatten sie sich in das unbekannte Territorium vorgewagt, im blinden Eifer, fremde Sitten gegen eigene einzutauschen, und in der Hoffnung, dabei zu gewinnen. Damals waren sie noch mutig gewesen miteinander, es war ihnen nicht notwendig erschienen, am anderen Vertrautes zu entdecken, sie waren jeder das unerforschte Land des anderen, das sie mit Leidenschaft bereisten.

Dann hatten sie aus Gewöhnung und Bequemlichkeit vergessen, was sie im anderen suchten, und Sätze, die anfangs undenkbar gewesen wären, fielen immer öfter: Deine Art zu reagieren ist mir fremd. Uns trennt zuviel, ich werde dich nie verstehen.

Einmal, nach Nikis Geburt, als Lillian tagelang scheinbar grundlos weinte und in Depressionen verfiel, saß er ihr gegenüber, feindselig oder vielleicht nur zu hilflos, um Trost zu spenden. Du bist die archetypische Fremde, sagte er. *Keiner* könnte dich verstehen.

Erst ganz am Ende, als es schon zu spät war, hatten sie versucht, zu reden und einander zu verstehen, Versagen von Schuld zu trennen und gerecht zu sein. Jetzt rede du, befahl er, sag alles, was du mir vorzuwerfen hast. Aber beim ersten Satz schon unterbrach er sie: So war es nicht, so konnte es nicht sein, so habe ich es nicht empfunden. Nach fünfzehn Jahren brachten sie nicht mehr den Mut und die Geduld auf, über die vielen falsch verstandenen Sätze großzügig hinwegzugehen und zuzugeben: So wie ich es erlebte, war es vielleicht nicht.

Sie stand im Badezimmer vor dem Spiegel, und er lehnte wie oft in den vergangenen Jahren im Rahmen der offenen Tür, es war wie immer, wie an vielen Abenden. Jetzt, wo wir wissen, daß vieles Unvermögen und Mißverständnis war, gibt es einen Weg für einen Neubeginn? fragte er sie.

Immer wieder in jenen letzten Wochen sprach er von Versöhnung, als hätten sie bloß Streit gehabt, als hätte nicht schon längst eine unversöhnbare Entzweiung stattgefunden, die weder seine noch ihre Schuld war. Sie schüttelte den Kopf. Es ist zu spät, Josef, es geht nicht mehr.

Sie holte wieder ihr gelbes Schulheft aus dem Handgepäck. Das könnte ich doch alles aufschreiben, dachte sie, das wäre ein Anfang. Aber kaum hatte sie den Kugelschreiber gefunden und die Seite aufgeschlagen, waren die Gedanken weg. Einen einfachen Satz, dachte sie, der mit Ich beginnt, das müßte dir doch gelingen. Doch die, die schreiben mußte, war eine andere, nicht jene, die sich fünfzehn Jahre lang von einem Durchschnittsleben hatte begraben lassen, sondern die Vierundzwanzigjährige, die Studentin, selbstsicher, gewandt und sprachbegabt, Gewinnerin von Lyrikwettbewerben. Gab es die noch? Oder war nur die Lillian geblieben, die nie mehr spontan reagieren konnte, die entweder zu höflich war oder zu schroff und die verstummte, mitten im Satz, wenn sie das angestrengte Verstehenwollen in den Gesichtern sah? Die nicht weiterwußte und steckenblieb, während die anderen aufmunternd mit den Köpfen nickten, die sprachlos an ihrer Wut erstickte, wie sagt man bloß, ein einziges Wort, verschwunden, ein ganzer Satz, der reinste Erdrutsch unsicher angehäuften Sprachgerölls, nicht ganz ihr Besitz, nur Baumaterial, das ihr geliehen war, das sie sich an allen Ecken zusammenstahl,

Versatzstücke, unhandlich und unbiegsam wie Bauschutt, Fertigteile, die nichts mehr offen ließen, kein Schlupfloch für die Phantasie, und die zusammenstürzten, wenn sie zu heftig danach griff. Es blieb nichts übrig von ihr selber, nichts, das sich hinzufügen ließ. Ach, es ist nichts so wichtig, nichts war mehr wichtig, sie fehlte in jedem Satz, und jeder Satz war überflüssig, am liebsten wäre sie überhaupt verstummt.

Die andere Lillian, zu der sie nun den Zugang finden mußte, um zu schreiben, die kannte niemand, auch sie selber nicht. Wie konnte sie denn wissen, wer sie geworden wäre, welche Gedanken, welche Erfahrungen sie gehabt hätte ohne diese fünfzehn Jahre in der Fremde? Ich bin jetzt nur mehr die, die ich drüben sein werde, nach meiner Ankunft, beschloß sie und schaute entschlossen in die blaue Leere.

Im Flugzeug fühlte sie sich wohl. Nirgends war die Einsamkeit so rein und so vollkommen, unbehelligt selbst von der Landschaft. Im Flugzeug war sie aufgehoben wie im Asyl, zwischen zwei Erfahrungen von Bodenlosigkeit. Dahinter und davor war ihr Leben brüchig wie ein morsches Seil, und wenn es riß, konnte es beides sein, Befreiung oder freier Fall auf einen fremden, harten Boden.

Einmal, kurz vor einem Rückflug nach Europa, einem von vielen, hatte sie einen Traum gehabt. Sie stand auf einem Platz, kurz vor dem Weltuntergang, der Himmel hatte sich bereits verfinstert, so wie es kurz vor Einbruch der Nacht sein kann, aber es war ruhig, und der Platz voller Menschen. Und rund um den Platz Eingänge, weit offen mit Kassenschaltern, wie zu einem Vergnügungspark. Sie trugen Aufschriften, die die Eintretenden nach Nationalitäten sonderten, und es verstand sich von selber, daß nur deren Mitglieder Zutritt hatten. An jedem Eingang eine Traube von Menschen, die sich unterhielten, lachten, warteten, entspannt und in mäßiger Eile wie auf dem Bahnsteig, wenn Fahrkarte und Platzkarte bereits gelöst sind. Nur sie stand in der Mitte des Platzes, und sie schien die einzige zu sein, die, halb wahnsinnig vor Entsetzen, das drohende Ende wahrnahm, doch sie wagte nicht, sich einer Gruppe anzuschließen, aus Angst, man würde sie sofort erkennen als Außenseiterin und sie verjagen. Also stand sie allein auf dem sich leerenden Platz, mit dem Wissen, daß nur noch Minuten blieben, bis das Äußerste an Schrecken eintrat.

Die Panik dieses Traums, die sie noch lange im Wachen erfüllte, war dieselbe Panik, die sie erfaßte, wenn sie das Schild *Internationale Flüge* über dem Eingang des Flughafens sah, der sie aufnahm wie ein Rachen und nicht mehr hergab, der sie vielleicht nie mehr entlassen würde, sondern sie in die Luft warf, ins Nichtsein, in die Vernichtung ihres zarten, noch kaum entfalteten, jedesmal neuen Ichs, das dort verkümmern würde, wohin es widerwillig mitgenommen wurde – so viel Vergeblichkeit nach jedem Neubeginn.

Nur hier, elftausend Meter über dem Atlantik, saßen die beiden, die einander überall sonst negierten, friedlich beisammen, die eine, die sie eben noch war, und die andere, die sie werden mußte, gleich nach der Begrüßung, oder früher schon, bei der Paßkontrolle, und alle andern abgespaltenen und ungelebten Teile des Phantom-Ichs drängten heran und waren plötzlich vorstellbar, mögliche Zukunft wie Früchte an einem Baum, die man sich nehmen konnte und probieren, glückliche Allmachtsträume aus der Kindheit.

Und wenn Alan an der Absperrung stehen würde, wenn sie ankam? Ein wenig abseits von den andern Wartenden, schmal und nervös, mit einer ungeduldigen konzentrierten Anspannung, die sich lösen würde bei ihrem Anblick, dann würde sie ... – sie konnte sich nicht entscheiden – das Gepäck stehenlassen und blind in seine Richtung laufen und hoffen, daß seine Arme ausgebreitet waren? Oder vor Überwältigung erstarren? Oder so tun, als hätte sie ihn noch nicht bemerkt, weil soviel Glück schwer zu ertragen war? Es war eine Szene, deren Möglichkeiten sie sich oft ausgemalt hatte, auch vor dem Spiegel. Und auch sein letzter Anruf hatte daran nichts geändert.

Kommst du mich abholen? hatte sie gefragt. Es schien ihr eine überflüssige Frage, mehr eine Frage aus Verlegenheit, denn hatten sie nicht beide seit Monaten von diesem Augenblick geträumt?

Nein, das wird nicht möglich sein, ich bin wahrscheinlich gar nicht in New York, und wenn, dann erst am späten Abend, jedenfalls kann ich nicht zum Flughafen kommen, wir sehen uns später.

Du kannst es nicht einrichten ... ? hatte sie gebeten.

Nein. Seine Stimme hatte kalt und unbeugsam geklungen, ein wenig ungeduldig.

Aber die Szene, die sie sich so oft bis in die Einzelheiten ausgemalt hatte, ließ sich nicht mehr einfach auslöschen, sie war schon eine selbständige Wirklichkeit, die unbeirrt und gegen ihren Willen immer wieder abzulaufen anfing, sobald sie *Ankunft* dachte. Sie ließ es zu. Die Wirklichkeit würde ihr früh genug den Traum zerstören.

Früher, auf der Schule, als sie ihre ersten Gedichte und Kurzgeschichten einsandte, hatte man ihren detailgetreuen Realismus gelobt, ihre Beobachtungsgabe, das fotografische Gedächtnis. Das, was ihr fehlte, hieß es, sei die Phantasie, die Kühnheit eigenmächtiger Verwandlung. Wirklichkeit umzudenken wäre ihr wie Flucht erschienen, und wer konnte sich anmaßen zu behaupten: so ist es, genau so, bis in die Einzelheiten, die ich erfunden habe – es sei denn ein Augenzeuge mit klarem Blick? Nur kleine Korrekturen der Wirklichkeit ließ sie zu, Versuche, die Dinge in ein anderes Licht zu rücken.

Und dann, im Lauf der letzten Jahre, wucherten die Träume, während das Leben abnahm und die Wirklichkeit verblaßte. Sogar am Schluß, als der Abreisetermin schon feststand und sie durch die Stadt ging, um sich alles ein letztes Mal und endgültig einzuprägen, für später, wenn sie präzise Bilder für ihre Geschichten brauchte – sogar in diesen letzten Wochen ging sie unbeteiligt durch die Straßen und spürte nur eine unüberbrückbare Distanz. Die Stadt war voller Menschen und trotzdem leer für sie, alles schien so sehr abgewandt, sogar die Schaufenster, die bunten Stuckfassaden, die barocken Bürgerhäuser der Hauptstraße, daß sie sich selber unsichtbar werden fühlte.

Voll Neugier und heimlicher Lust am Spionieren war sie am Anfang, als sie zugezogen waren, durch dieselben belebten Straßen gegangen und hatte sich damals schon gewundert, wie diese Menschen so distanzlos und ungeteilt in ihrem Leben zu Hause waren, als hätten sie Vergangenheit und Zukunft viel weniger nötig als sie selber. Auch sie hatte einmal, als Kind und später, in ihrer Jugend, in ausgelassenen selbstvergessenen Augenblicken distanzlos in der Gegenwart gelebt, doch in den letzten Jahren hielt sie zu allem, auch zu sich selber, zu Josef und den Kindern einen kleinen Abstand, der ihr die Illusion gab, alles sei vorläufig, jederzeit zu ändern und leicht zu verlassen.

Gleichzeitig schoben sich die Träume in den Alltag vor, nutzlose Träume ohne Zukunft, weil sie sich der bereits gelebten Erfahrungen bemächtigten und sie selbstherrlich korrigierten. In diesen Träumen zog sie ihre Kinder weit weg von Josef in ihrer Sprache groß, sie wuchsen mit den Spielen ihrer eigenen Kindheit auf und spielten, wie es amerikanische Kinder tun. Natürlich nicht in Europa, sondern in einer amerikanischen Stadt zwischen New Jersey und New Hampshire, nicht zu weit weg vom Meer, dort, wo sie genau diejenige sein konnte, die sie wirklich war und nicht ein Zerrbild ihrer selbst, ein Traum, den andere von ihr träumten, und der sich deshalb nicht nach eigenem Antrieb entfalten konnte, nicht einmal soviel Platz einnahm wie sie. Auch davon hatte sie geträumt: mit einem Mann zu leben, der ihren Namen richtig aussprach, ohne den spitzen Mißton der Vokale, so daß sie sich gemeint fühlen konnte. Ein Mann, mit dem sie lachen konnte über ein Wortspiel, einen beinah vergessenen Satz aus der Schulzeit, einen alten dummen Witz. Einer, der wußte, woran sie bei bestimmten Anspielungen dachte, was ihr vertraut war und wo die Stellen verborgen lagen, die sie schmerzten.

Was waren Träume wert, die keine Hoffnungen enthielten, die auf dem Boden der Wirklichkeit sofort zugrunde gingen? Doch der Verlust der Hoffnung auf ein anderes Leben machte sie kühn in ihren Tagträumen, die zäh und langsam von den ungenutzten Rändern ihres eintönigen Lebens her ins Zentrum drangen, bis sie sogar den Alltag überschwemmten. Den Alltag, den sie Alan, als sie ihn kennenlernte, so beschrieb: Was ich so mache Tag für Tag? Da gibt es nicht viel zu berichten. Ich steh um sechs Uhr auf, die Kinder gehen um halb acht zur Schule, Josef in die Kanzlei, den Vormittag hab ich für mich, er vergeht mit Einkaufen, Kochen, er vergeht viel zu schnell. An drei Tagen unterrichte ich an der Volkshochschule Englisch. Anfangs hat es mir Spaß gemacht, ich hatte etwas, womit ich mich beweisen konnte und eigenes Geld verdiente, aber ich unterrichte jedes Jahr das gleiche, Englisch für Anfänger, Jahr für Jahr dieselben Übungssätze, die gleichen Fehler, alles vorhersagbar bis in die Einzelheiten, und manchmal mache ich schon die gleichen Fehler wie die Kursteilnehmer. Die Sicherheit in der eigenen Sprache geht mir immer mehr verloren. Die Nachmittage, ja, die sind manchmal lang. Die Kinder sind zu Hause, sie streiten, machen Hausaufgaben, ich muß da sein, es kommt mir vor, daß ich die Zeit vergeude, aber am Abend bin ich trotzdem müde und erschöpft, und ich frage mich, warum? Manchmal gehen wir abends aus, Josef und ich, aber er bleibt lieber zu Hause. Er sagt, er sieht tagsüber genug Leute, er will am Abend Ruhe haben. Wir reden nicht mehr viel, wir streiten selten, wir leben einfach nebeneinander im selben Haushalt. Manchmal frage ich mich, ob er mich betrügt, aber ich habe keinen Grund, es anzunehmen. Vielleicht ist für ihn unsere Ehe ganz in Ordnung. Wir sehen fern, ich bereite meine Kurse vor, um zehn geh ich ins Bett...

Das ist dein Leben, fragte Alan, Tag für Tag um zehn ins Bett?

Der Spott in seiner Stimme kränkte sie.

Ja, jeden Tag, fast jeden Tag, wieso? Alle unsere Bekannten leben so. Du bist zu jung, um dir das vorzustellen, du bist Künstler, aber wir andern, wir leben so.

Sie vermied es, ihn anzusehen, sie fürchtete, er könnte sie bemitleiden oder verachten für dieses klägliche bürgerliche Leben, das sie führte, so oberflächlich und dumpf mußte es ihm erscheinen, daß er sie nur verachten konnte. Was soll ich machen, verteidigte sie sich, mich scheiden lassen, die Kinder im Stich lassen? Sie spürte seinen Arm um ihre Schulter, also doch keine Verachtung? Trost, vielleicht ein Ausweg? Durfte es einen Ausweg geben? Sie sah geradeaus über die feuchte Wiese, gelb von Primeln, die zum unsichtbaren Fluß hin abfiel, unschlüssig, fast entsetzt darüber, daß die auf sicherem Abstand gehaltenen Träume von Flucht und Neubeginn so nahe rückten. Sie setzte sich aufrecht und straffte ihren Rücken, den sein Arm umfing, jetzt, wo die Träume in die Wirklichkeit einbrachen, bekam sie Angst.

Später erst, Monate nach seiner Abreise, verlor sie die Herrschaft über die klaren Grenzen zwischen Wirklichkeit und Träumen, lebte in Erinnerungen, übersprang die Gegenwart und besetzte die Zukunft mit Wunschvorstellungen. Was gab es zu verlieren, wenn sie das Leben leichter machten, auch unwirklicher, unscharf, so daß alles um sie herum nur mehr mit Mühe als drängende, fordernde Gegenwart zu erkennen war? Die Träume, denen sie sich überließ, dehnten sich aus zu langen, glücklichen Absencen, nichts mehr berührte sie wie früher, alles wurde belanglos. Sie lebte in einer Zwischenwelt, die sie vor dem Zugriff der Umwelt schützte, an einem real gewordenen Ort unerfüllter Wünsche.

Im Alltag war sie zerstreut und unaufmerksam, sie vergaß Termine, hörte manchmal im Gespräch nicht zu, fragte abwesend: Was war? Was hast du gesagt? Doch niemand sprach sie darauf an. Merkte es keiner? Lief alles schon so sehr von selber, daß ihre Aufmerksamkeit nicht mehr vonnöten war? Sie war nicht einmal mehr halb bei der Sache, und nichts passierte. Und wenn sie überhaupt nicht mehr da wäre, wenn sie für immer fortginge, würde das Leben der anderen, der Alltag ungestört weitergehen, als wäre nichts geschehen?

Möglich, daß Josef ihr manchmal einen aufmerksamen, prüfenden Blick zuwarf, daß Claudine ungeduldig die Augen verdrehte: Steh nicht so auf der Leitung! Nur Niki, der zehnjährige Sohn, der ihr am nächsten stand, beklagte sich: Warum hörst du mir nicht zu, wenn ich dir was erzähle! Komm in mein Zimmer, schau, was ich gebaut habe! Ihm zuliebe bemühte sie sich, ihren Blick, der nicht mehr für Naheliegendes zu taugen schien, auf seine Welt zu richten, aber es fiel ihr nun auch bei ihren Kindern schwer, an ihrem Leben teilzunehmen, es war, als hielte ihr Bewußtsein gegen ihren Willen an der gleichmütigen Weigerung fest, sich in der Gegenwart einzufinden. Ich höre dir ja zu, Niki, beteuerte sie, ich kann mich nur so schwer konzentrieren in letzter Zeit.

Und wenn sie fortginge, irgendwohin, wo sie wieder

ganz anwesend sein könnte? Doch durfte eine Mutter zögern, wenn sie vor der Wahl stand zwischen sich selbst, der eigenen Freiheit und dem Wohl ihrer Kinder? Aber was hatte man ihr denn gelassen, das sie den Kindern geben konnte? Anwesenheit, sonst nichts. Weder die Sprache noch Erinnerung, noch was sie liebte. Das alles war hier kein Wert, nichts, was sie geben konnte, war hier ein Wert. Es gab nichts außer der verläßlichen Gegenwart ihres Körpers, der kochte, wusch, berührte und nichts forderte, was von Nutzen war oder zum Wohl von irgend jemandem.

Und dennoch war es ein Skandal, daß sie den Körper entfernte, ihn zurücknahm, um ihn – wie ein falsch gehaltenes Tier – dort auszusetzen, wo er vielleicht leben konnte, statt zu vegetieren.

Als Claudine zur Welt kam, drehte sich Lillians Bewußtsein zurück zu ihrer eigenen Kindheit. Aber es war eine Kindheit in einer anderen Sprache, in einem anderen Land, und die erinnerten Erfahrungen, ihre Orte, ihre Gerüche und ihre Laute waren doppelt entrückt. Sie waren von ganz anderem Stoff als das Vorhandene, waren magische Kinderwelt, die jede Gegenwart zu absorbieren suchte.

Solange ihr das Kind noch ganz gehörte, redete sie mit ihm nur in der eigenen Sprache, sang ihm die Lieder vor, die ihr die Welt zurückverwandelten, Erinnerungen an längst Vergessenes tauchten auf, alles, was unzugänglich und verloren schien, war plötzlich frisch und gegenwärtig. Sie glaubte, die Farben wieder zu riechen, mit denen die Tische im Lesesaal der Bibliothek an der Main Street lackiert gewesen waren, wo der Vater an manchen Vormittagen Bücher holte und wo sie sich in der Kinderecke Bilderbücher ansah. Der Spielplatz mit dem hellen Dünensand von der nahen Küste, in dem man nach jeder Talfahrt von der steilen Rutschbahn wadentief versank, im Sommer war er warm und trocken, im Frühling blieb er an den Beinen kleben, und im Schatten unter den alten Bäumen halb verborgen standen die Palisaden und Klettertürme zum Indianerspielen. Die Umgebung, in der Claudine aufwachsen mußte, erschien ihr armselig verglichen mit den Reichtümern ihrer eigenen Kindheit.

Doch die Erinnerungen, deren Spuren sie in der Gegenwart nicht finden konnte, sonderten sie von andern ab. Sie hätte gern irgend jemandem davon erzählt, um sie ein wenig greifbarer zu machen, doch niemand wollte ihre alten Geschichten ohne Pointen hören. Man lächelte höflich und ließ sie eine Zeitlang reden, bis sie von selbst verstummte, weil sie die unterdrückte Langeweile spürte oder man sie einfach unterbrach. Sie konnten sich die Welt, die für Lillian wirklich war, nicht vorstellen, und was sie sich nicht vorstellen konnten, interessierte sie auch nicht. Jetzt bist du hier, sagten sie ungeduldig, und meinten damit, es sei nicht gut, zu sehr in der Vergangenheit zu leben. Andere Frauen mit kleinen Kindern schienen nicht denselben Drang zu spüren, sie eifersüchtig in längst Vergangenes einzuführen und sich dort zu verschanzen, als sei die Wirklichkeit, die sie umgab, bedrohlich. Die Kindheit, die Claudine erlebte, war nicht Wiederholung, sie war ein Bruch, den Lillian verhindern wollte.

Lillian setzte sich abseits von den anderen Müttern auf eine leere Parkbank, die Gespräche mit ihnen strengten sie zu sehr an, es fehlten ihr die Wörter und die Sicherheit. Deutsch war für sie eine erwachsene Sprache, in der sie besser dachte als fühlte, es fiel ihr leichter, komplizierte Ideen in ihr auszudrücken als einfache alltägliche Erfahrungen mit einem Kind.

Solange Claudine ihr gehörte, war sie glücklich. Sie fuhr mit ihr hinaus aufs Land, dorthin, wo die Vorstadt in Villenparks und Schrebergärten endete, und sie benannte unermüdlich alle Dinge mit den Worten ihrer Sprache, nahm sie in Besitz, als wären sie bisher namenlos gewesen und unbeachtet wie Kulissen.

Look at the trees! See the birds?

Die Dinge wurden wirklich, sie belebten sich, erhielten Farben, erschienen freundlich, lieblich oder bedrohlich, je nach Witterung und Stimmung, sie waren greifbar, fühlbar, reine Gegenwart. Unbändig war ihr Glück, wenn das Kind die Wörter nachsprach, voll Vertrauen in die Einheit von Namen und sichtbarer Welt, und ihr den Riß schloß, den die stumme Wirklichkeit von ihren willkürlichen Definitionen trennte. *Bird*, sagte das Kind, und zeigte auf die Krähenschwärme über den Äckern, es war Oktober, und die Feldraine waren weiß und lila von spät blühendem Unkraut, an den Straßenrändern wirbelte der Wind das erste gelbe Laub auf. *What's that?* fragte das Kind und zeigte auf einen Drachen, der hoch über den Baumwipfeln in einen düsterroten Abendhimmel stieg, zu taumeln anfing und im schwarzen Ästegewirr der Obstgärten hängenblieb. *A kite.* Lillian benannte alles, was sie sahen und hörten, als sei es ihre eigene Erfindung, und sie war stolz darauf wie auf ein besonders kostbares Spielzeug, das sie dem Kind anbot, es zu bestaunen und zu besitzen. Auch Trotz mischte sich darunter – als wäre sie die letzte Trägerin einer vergessenen Kultur, als wäre einfaches Benennen in ihrer Sprache bereits Rebellion, auf die Strafe stand. Und war sie, Lillian, nicht das einzige Bindeglied zwischen Claudine und einem Land, von dem sie nur durch Lillian erfahren konnte? Die andere Zugehörigkeit war allein schon durch die tägliche Gegenwart im Vorteil. Von Anfang an war ihr Besitzanspruch ein Kampf, unter den mißtrauischen Blicken der anderen. Was war für Josef die Märchenwelt, in die sie dieses Kind verstrickte? Das sei doch nicht die Wirklichkeit. Sie wird es einmal schwer haben, warnte er. Sollen Mütter nicht die Mittlerinnen zwischen Kind und Umwelt sein?

Aber Claudine war neugierig und frühreif, eine Weile bewegte sie sich mühelos zwischen den beiden Sprachen hin und her, dem Code der Mutter und der Welt der anderen, sie blieb neutral, denn sie beherrschte und benutzte beide zu ihrem Vorteil. Bis sich der Schwerpunkt ihres Kinderlebens auf die Erlebnisse mit Gleichaltrigen verlagerte und sie vom Kindergarten heimkam mit Neuigkeiten, die keine englische Entsprechung hatten, mit Heinzelmännchen und Bibabutzemännern, Kasperl und Rübezahl. Sie breitete die neuen Schätze vor ihrer Mutter aus und suchte Anteilnahme, den glücklichen, gemeinsamen Eifer der ersten Jahre, die Freude an der gerade erst entdeckten Welt. Doch Lillian fühlte sich bedroht, sie nahmen ihr das Kind weg, so schnell ging das, mit fremden Kinderreimen und fremden Spielen, und sie stand daneben, bestohlen und beraubt, und konnte sich nicht wehren. Wie sollte sie sich auch noch freuen, mitsingen und in die Hände klatschen?

Hölzern und schweigsam stand sie am Rand bei jeder Weihnachtsfeier, jedem Faschingsfest, was sollte sie dabei, es waren fremde Bräuche, die ihr dumm erschienen, sie schüttelte den Kopf, bat um Entschuldigung, ich kenne dieses Lied nicht, es tut mir leid. Nein, sie wollte nicht versuchen mitzusummen, sie wollte es nicht lernen. Tadel und Mißmut trafen sie, sie schloß sich aus, das könne ihrem Kind nur schaden. Sie fühlte sich gedemütigt und ausgestoßen, niemand war neugierig auf ihre Bräuche. Dachten sie denn, sie hätte keine? Wie kamen sie dazu, ihr etwas aufzuzwingen, was sie nicht wollte? Die anderen durften nicht nur ihre eigene Kindheit weitergeben, die wurden dafür noch gelobt, ihr Eifer zeigte, daß sie gute Eltern waren. Doch bei ihr war es anders, als sei Claudine bereits Besitz des fremden Landes, ihr nur auf Zeit geborgt, und jeder hätte das Recht, sie zu enteignen, ihr zu erklären, wie sie es machen müsse. Sie nahmen sich die Freiheit, ihr eine fremde Sprache und fremde Bräuche aufzudrängen, sie maßen ihre Liebe zu dem Kind an der Begeisterung, mit der sie sich verleugnete und aufgab, sich und das Kind, das einzige, was sie in dieser Fremde hatte. Fremd hörte sich an, was Claudine von draußen mit nach Hause brachte. Ja, sagte Lillian, ist schon recht, aber zu Hause reden wir englisch.

Sie kämpfte verzweifelt, um sich das bißchen Heimat, das sie zum Leben brauchte, durch Claudine zu retten, und zwang dabei das Kind zu wählen: die anderen, das waren alle, oder ich, deine Mutter, und Claudine entschied sich. Rede nicht so mit mir, sagte sie streng, wenn Lillian englisch mit ihr sprach, sie schämte sich ihrer Mutter, sie wünschte sich nichts sehnlicher als eine Mutter wie all die anderen. Je älter Claudine wurde, desto heftiger tobte der tägliche Kleinkrieg zwischen ihnen, denn keine war bereit, die Vernichtung der eigenen Welt zu dulden, beide hatten Angst, sich selber zu verlieren, wenn sie dem Fremden zuviel Platz einräumen mußten.

Als Lillian wieder schwanger wurde, ließ sie von Claudine ab und zog sich auf sich selbst und auf das Kind zurück. Sie konnte ihrer Tochter nichts mehr bieten, was in deren Welt von Wert gewesen wäre, es gab nichts mehr zu schenken, nichts mehr zu formen, die anderen hatten ihr das Kind gestohlen, auf das nächste würde sie besser achtgeben.

Aber ihr Standort verlor an Festigkeit. Der stumme Dialog, den sie seit ihrer Kindheit mit sich selber führte, die inneren Bilder, die Kommentare, die ihr Erfahrungen erklärten, hatten angefangen zu versiegen. Entblößt stand sie zwischen beiden Sprachen. Was sie erlebte, widerfuhr ihr auf deutsch, Fremdwörter begleiteten die Schwangerschaft wie kalte medizinische Geräte, nichts war lebendig in diesem klinischen Sprachbesteck, das ihren Körper untersuchte, seine Vorgänge sondierte und sie im dunkeln ließ, denn vertraute Bezüge in der eigenen Sprache gab es keine: Schwangerschaft in der eigenen Sprache war ein weißer Fleck. Die weißen Flecken in der Sprachlandkarte mehrten sich, das Schweigen mehrte sich, die Ohnmacht und die Wut. Was blieb, war ein Gefühl der Kälte und der Verlassenheit. Und der maßlose Besitzanspruch, mit dem sie dieses zweite Kind, einen Sohn, an sich riß: Den kriegt ihr nicht, dem soll nur vertraut sein, was ich liebe, unvorstellbar, ein fremdes Wort an ihn heranzulassen, eines der vielen Kosewörter, die sie rundum hörte, Liebling, Schatz und Herzchen, nie würde sie Verrat an sich und ihm begehen.

Niki war ein zartes Kind, still und langsam in allem, was er lernen sollte, auch in der Sprache. Ich möchte nicht, daß er belastet wird mit einer zweiten Sprache, sagte Josef, es wäre zuviel. Natürlich war die erste Sprache Deutsch, die zweite war das Überflüssige für die Robusten, Begabten, schädlich für alle, deren Gleichgewicht labil war. Doch Lillian wurde feindselig und unzugänglich: Er ist auch ein Teil von mir.

That's a deer, erklärte sie und zeigte auf Bambi im Bilderbuch.

Das ist ein Reh, berichtigte Josef, es klang wie eine Drohung.

A deer, rief sie, *that's a deer!*

Ein Reh, wiederholte Josef, zum letzten Mal, ein Reh, und seine Stimme bebte vor Wut.

Niki befreite sich verstört aus Lillians Armen und weigerte sich von nun an, in Gegenwart der Eltern Bücher anzusehen. Er entzog sich, indem er in zwei Sprachen schwieg.

Er muß in diesem Land aufwachsen, gab der Psychologe zu bedenken und war erstaunt über die Panik, die eine sachliche Behauptung bei Lillian hervorrief.

Er ist mein Kind! rief sie. Konnte denn kein Mensch verstehen, daß sie zu ihm nicht in der fremden Sprache reden konnte, ebensowenig wie zu sich selbst? Wie sollte sie ihn auf deutsch denn nennen, wie ihre Liebe zeigen, ihre Zärtlichkeit, wie ihm Gefühle mitteilen, die in den Worten waren, in ganz bestimmten Worten, für die es keine Übersetzung gab? Ich kann Gefühle nur in meiner Sprache ausdrücken, erklärte sie dem Psychologen.

Er wechselte mit Josef einen beredten Blick.

Niemand, auch ihre Freunde nicht, konnte verstehen, warum sie sich so sehr dagegen wehrte, mit ihren Kindern Deutsch zu sprechen. Du sprichst es fließend, sagten sie, gut genug für den Alltag, für die Kinder. Gewiß, sie machte Fehler, vielleicht solltest du mehr lesen, schlugen sie vor, vielleicht einen Uni-Kurs für Fortgeschrittene belegen. Sie benutzte manchmal Redewendungen wie zufällig herumliegende Werkzeugteile, sie paßten nicht, sie griff daneben, na und? Sie hatte nicht den Ehrgeiz, sich zu verbessern. Ist doch egal, sagte sie ungeduldig, wenn jemand sie korrigierte, du weißt schon, was ich meine. Die Wörter und Sätze waren wie fremde Kleider, die sie sich achtlos überwarf, Verkleidungen, die sie entstellten, ihr eigenes Pech, wenn sie nicht paßten, ausgeliehen wie sie waren. Gefühle waren Sache der eigenen Sprache, in der sie die Wörter langsam und zögernd setzte, präzise.

Auch das Deutsche ist reich an Gefühlen, erklärte man ihr.

Nichts war im Lauf der Jahre für sie so sehr zum Kampfgebiet geworden wie die beiden Sprachen, und nun verlangte man von ihr auch noch, daß sie ihre Liebe übersetzte, ihren Gefühlen Gewalt antat, endgültig resignierte.

Er ist noch zu klein, bat sie, er braucht noch meine Nähe.

Der Psychologe lächelte verständnislos: Und auf deutsch können Sie Ihrem Kind nicht nahe sein?

Zu Hause, wenn sie allein war, redete sie englisch mit ihm, und unterwegs, auf der Straße, unter Menschen flüsterte sie ihm schnell, voll schuldbewußtem

Trotz englische Sätze zu, die Angst, ihn zu verlieren, war zu groß.

Eines Tages, als Niki vier war, kam er weinend in die Wohnung, die anderen Kinder wollten nicht mit ihm spielen, sie hätten ihn verspottet, weil er nicht von hier sei.

Jetzt hast du's, rief Josef. Willst du die Kinder für ihr ganzes Leben ruinieren mit deinem Egoismus, willst du sie zu Außenseitern machen durch deine sture Weigerung, dich anzupassen?

Sie fügte sich und gab auch dieses Kind frei, um ihm nicht im Weg zu stehen in einer Welt, der sie sich verweigern mußte. Wer sollte verstehen, daß sie den Platz nicht wollte, den man ihr anbot, wie sollte man es sich erklären, wenn nicht als Arroganz? Doch zwischen ihr und Niki blieb eine sprachlose Nähe, eine stumme Trauer über den Verlust des ersten Überflusses an Liebe, und manchmal fragte er sie: Wie hast du mich genannt? *Honeypie, sugarplum*, sagte sie leise, und die Erinnerung tat weh wie eine alte Narbe, wie erfrorene Glieder in der Wärme. Wie dieses Land es schafft, mich umzubringen, dachte sie, mir bei lebendigem Leib jedes Gefühl herauszuziehen, daß ich taub bin bis in die Finger und jede Berührung schmerzt, und ich vergessen habe, wie es ist, wenn man sich frei bewegt und jeder Teil von Kopf bis Fuß man selber ist.

Sie spürte, wie sie allmählich ihre innere Sprache verlor, die Ausrufe und Wortpartikel, freischwebende Satzfragmente, die ihr für Augenblicke flüchtige Erinnerungen herantrugen, Verbindungen zu früher schufen und sie belebten. Sie freute sich, wenn aus dem Nichts ein Slangausdruck der Collegezeit auftauchte, der, mit einer Spur Bosheit, eine Situation benannte.

Doch immer seltener kamen die richtigen Wörter spielerisch ganz von selber, die Sicherheit ging ihr verloren und damit die Lust an ihrer Sprache. Und wenn die eigene Sprache nicht mehr lebendig ist, fragte sie sich bang, kann ich dann noch leben? Wer bin ich dann? Entsetzt bemerkte sie, wie ihre Sprache abzubröckeln begann, versank wie überschwemmte Inseln, ohne daß ihr die andere gehörte. Ich wollte doch noch schreiben, dachte sie, irgendwann später, hatte sie gehofft, nach einem reichen Leben, irgendwo anders als zu Hause, käme dann ein Leben für ihre eigenen Bedürfnisse. Und was besaß sie nun?

Sie sah erstaunt die Kinder an, die in dieser Welt zu Hause waren, Niki verträumt und immer noch ein wenig weltfremd, Claudine mit einem gierigen Eifer, nichts zu versäumen, sich den anderen ununterscheidbar anzupassen. Bei jedem Fest war sie dabei, sie liebte Umzüge, Prozessionen und vor allem Jahrmärkte. Begeistert zog sie Lillian, die voller Panik war, durch das Gewühl zwischen den Buden. Lillian schaute hinunter in das eifrige Gesicht der Tochter, wie sie mit ihren kleinen Mäusezähnen an der rosa Zuckerwatte zupfte, und einen Augenblick lang empfand sie gegen das Kind denselben Widerwillen, der sie in diesem Gedränge überkam, wo der Geruch verschwitzter Kleider über ihr zusammenschlug. Wann beginnt die kollektive Dumpfheit ein Kind zu infizieren? fragte sie sich und sah mit plötzlicher Verzweiflung in das Gesicht, das ihre Augen hatte, ihren Mund. Es war ihr Kind. Zwölf Jahre ihres Lebens.

Oft schon, bei ihren Flügen über den Atlantik, hatte sie sich gefragt, ob es die langsamen Übergänge, die sie wahrnahm und nicht erklären konnte, wirklich gab. Wie kam es, daß das Verlassen Europas irgendwann in ein Gefühl vorweggenommener Ankunft überging, und in der Kabine blieb alles unverändert, das Licht, die Temperatur, die Geräusche? War irgendwo über dem Atlantik der Längengrad, an dem die Wende eintrat und man auf der anderen Seite war? Oder waren es Dinge wie der Verkauf zollfreier Waren, das Austeilen der Einreiseformulare, oder die Rastlosigkeit, die vom zu langen Stillsitzen kam? Auf einmal war da etwas – zu ungewiß, um es zu benennen, doch stärker als bloße Einbildung, wie ein leichter Salzgeruch bei Ostwind weitab vom Meer, die Ahnung festen Bodens, der trug. Die Erleichterung, wenn man an Land geht, bekannte Straßen sieht, die Haustür aufsperrt und die fremde Sprache wie Straßenkleidung ablegt. Man ist in Sicherheit, man spricht die eigene Sprache, und sie trägt, die Grenze ist passiert, schwebend noch in einem Vakuum wartet man auf die Ankunft.

Auch Josef hatte den Übergang gespürt, beim Flug von drüben, der für ihn ein Flug nach drüben war. Seine Unruhe, seine Aufregung vor dem Neuen hatten sich gesteigert wie bei einem Kind, wenn die Ferien beginnen. Beim Rückflug nach Europa war er erleichtert gewesen: Es ging nach Hause, es war auch an der Zeit, sich endlich zu entspannen. Wir fliegen heim.

Nein, sagte sie, wir fliegen fort, weg von zu Hause.

Dann stritten sie über den Begriff *zu Hause*. Es war nur eine Fortsetzung des alten Streits, der den ganzen Urlaub lang gewährt hatte. Ich will nach Hause, sagte er gereizt, was soll ich hier, bei deinen Verwandten, deiner verrückten Großmutter, deiner hyperaktiven

Schwester? Was soll ich meinen kostbaren Urlaub in einer langweiligen Kleinstadt versitzen, bloß weil du hier Leute kennst? Er war die ganze Zeit, wie ein Zuschauer in einer öden Vorstellung, ständig auf dem Sprung, immer bereit zum Aufbruch dorthin, wo es angeblich unvergleichbar schöner war, ein Sommer in den Nationalparks, in Florida, im tiefen Süden, zumindest in San Francisco. Das hier, die Ostküste, hatte er oft genug gesehen.

So ist mir drüben auch zumute, sagte sie schadenfroh. Wie in einem Dokumentarfilm von einem fremden Stamm, den ihr mir zumutet bis zum Überdruß.

Und jedesmal sagte er verbittert: Das war das letzte Mal, in meinem nächsten Urlaub will ich was erleben.

Was hast du denn schon aufgegeben, was ist an dieser Landschaft denn so besonders? fragte er, während sie die Küste entlang nach Norden fuhren. Nichts konnte ihn begeistern. Was war das schon, wonach sie Heimweh hatte, ein paar Feriendörfer entlang der Küste, grauer Strand, verschmutzt von zu vielen Menschen, nicht zu vergleichen mit den Stränden Griechenlands, der Côte d'Azur, und außerdem schwamm er nicht gern, er haßte den nassen Sand zwischen den Zehen.

Sie hatte es sich anders vorgestellt: Sie würden die Highways meiden, langsam die Küste entlang nach Norden fahren, in kleinen Orten übernachten, in bunten Holzhäusern mit Erkerfenstern, und abends auf Holzveranden sitzen, die auf Pfählen über der steinigen Küste hingen, sie würden viele Sonnentage am Meer verbringen, auf Cape Cod den Flutwellen zusehen, wie sie in immer neuen Anläufen auf den Strand zuliefen, sie würden zusehen, wie sich die Wolken über dem Atlantik türmten und das Meer verfinsterten, sie würden nachts die Brandung hören wie eine große Ruhe, die nie aufhörte, und er würde erkennen, daß es nicht leicht war, alles für ein Leben aufzugeben, das so unvergleichlich anders war, weil alles, was hier wichtig war, dort fehlte. Er mußte doch wissen, was sie meinte, wenn sie manchmal sagte, daß sie Sehnsucht habe. Das war am Anfang, als sie noch mit ihm teilen wollte, woran sie hing. Er würde sie besser verstehen, wenn er wußte, wie das Land aussah, das sie geprägt hatte. Doch er sah gelangweilt geradeaus auf die Straße, die staubigen Büsche an den Rändern, das flache, ausgedorrte Land. Was ist daran besonderes? Da habe ich schönere Strände gesehen, Steilküsten, weiße Kreidefelsen, Strände mit Palmen, unberührt von Touristenkitsch.

Siehst du die Berge? fragte sie auf ihrem Rückweg durch Vermont.

Nein, sagte er, ich sehe keine Berge, ich sehe bloß ein paar Hügel.

Und jedesmal schlug seine vorsätzliche Abwehr irgendwann in Haß um, er fühlte sich bedroht von ihrer gleichmütigen Sicherheit. Sie nahm ihn mit, zeigte ihn ihren Freunden, doch vorher bat sie: Bitte, benimm dich, ich will mich nicht mit dir schämen. Bin ich der Mann von meiner Frau, sonst nichts? fragte er verbittert und brach aus, verschwand für halbe Tage, brütete dumpf in Sofaecken wie ein ungebetener Gast, und Lillian flehte: Sei doch nett, wenn sie sich so um dich bemühen. Ich mag die Frauen nicht und ihr hysterisches Getue, sagte er, ich mag nicht ständig lächeln und lügen, wie gut mir alles hier gefällt. Er war ein Fremder, steif und mißtrauisch, voll Abwehr und der Furcht, man achte ihn nicht genug, ein Spielverderber, der sich verbissen wehrte, sich zu amüsieren.

Die Freunde zuckten die Achseln, warfen ihr Blicke zu: Was hat dein Mann? Und Lillian rückte von ihm ab: Ich lasse mir von dir nicht meine Freude verderben, tu was du willst, ich will die Zeit hier genießen. Sie wurde ihm fremd wie alle anderen, nicht von ihnen zu unterscheiden, genauso oberflächlich, herzlos freundlich und grundlos guter Laune, unbeeindruckt von seiner Unlust, getrieben von einer Energie, die ihn ermüdete. Er quengelte in Restaurants, nichts schmeckte ihm, nichts gefiel ihm, zuviel Resopal und Kunststoff, zuwenig Erlesenes, zuwenig Feines, das Essen zuwenig gewürzt, der Kaffee zu wäßrig, alles zuviel oder zuwenig, ich bin es satt, ich möchte heim.

Das Ende jeder Reise war ein rücksichtsloser Kampf um Überlegenheit, sie stritten um die Eßbarkeit der Lebensmittel, den Reiz der Landschaft, die Zumutbarkeit der Sprache, und alles Hassenswerte ballte sich im andern. Europäische Arroganz warf sie ihm vor, Kälte, Unsicherheit. Oberflächlich sei sie, rief er, naiv, kulturlos, dumm. Sie waren Feinde, unversöhnlich getrennt durch Vorurteile, nichts war verziehen und keine Niederlage gutzumachen, es ging um die Ehre ihrer Nation, jedes historische Unrecht war eigenes Versagen, sie hafteten persönlich, denn es war ihr Land, das sie verteidigten, weil sie es mehr liebten, als sie einander jemals lieben konnten. Sie waren nicht Teil voneinander, wie sie Teil ihres Landes waren, nur wußten sie selten, wieviel sie trennte.

Im Haß auf das fremde Land, das sie einander wegnahm, bekannten sie sich zu jeder Ungeheuerlichkeit, nur um sich gegenseitig abzusetzen. Na und, rief Josef, dann bin ich eben ein Faschist! Es gab keine Versöhnung, erst als er wieder von Bekanntem umgeben war, konnte er sich Großzügigkeit leisten. Es gab nur die moralische Vernichtung des Gegners und die Erkenntnis, daß ihr wichtigster Besitz ihn ausschloß.

Sie waren Feinde, weil sie sich nahe waren, eifersüchtig auf das fremde Territorium im andern, das sie nie besitzen würden.

Wäre Amerika ein Mann, rief er ihr nach, dann brächte ich ihn um.

Sie lief zum Strand hinunter, hinaus auf das felsige Geröll der Landzunge, bis an ihr Ende, bis der träge Rhythmus der Wellen sie beruhigte. Dann ging sie durch den Ort zurück, als ginge sie durch eine Wohnung, die einmal ihr gehört hatte und die jetzt andere bewohnten. Sie wußte, wo in diesen Häusern die Lichtschalter waren und wie die Küchen aussahen, sie konnte sich die Holztreppen vorstellen, die am Ende des Flurs zu den Schlafzimmern hinaufführten, sie sah das blaue Licht der Fernsehapparate flimmern und sah das unsichtbare Sofa, auf dem die Kinder gesessen hatten oder alte Frauen, bei Tierfilmen, Expeditionsberichten oder Seifenopern. Sie stellte sich vor, wie sie selber jetzt in einer dieser Küchen stehen könnte und das Abendessen zubereiten, umgeben von den Gerüchen und Geräten ihrer Kindheit, den vertrauten Namen auf den Packungen, als wären andere Lebensmittel undenkbar, als wäre nichts sonst möglich als diese Handgriffe, eingespielt seit Jahren, und womöglich würde sie sich dabei fragen: Wann nimmt das ein Ende, und was bleibt vom Leben übrig? Genauso wie an vielen Abenden in ihrer Wohnung in Innsbruck.

Die Angst vor der Gewöhnung an ein bekanntes Leben, geheimnislos vertraut von Kindheit an, hatte sie fast ans andere Ende der Welt getrieben, vielleicht ans falsche Ende, wo alles hätte anders werden sollen, irgendwie ohne Alltag, ohne Gewöhnung, jeder Tag neu, unvorhersehbar abenteuerlich und inspirierend. Wie banal und erstickend das Exotische wurde, sobald man sich darin niederließ.

Nach einigen Sommern weigerte sich Josef, sie zu begleiten. Sie fuhr allein, zuerst mit Claudine, später mit beiden Kindern. Josef blieb zu Hause, denn wo sie herkam, wußte er ja nun, und er galt ohnehin als Experte für Amerika bei seinen Freunden durch seine Heirat, was brauchte er da noch hinzufahren. Großstadtdschungel, sagte er mit Kennermiene, er wußte alles, was Touristen wußten, sein Englisch war perfekt, das hatten ihm Lillians Freunde oft genug bestätigt. Daß er sich damit aus einem Territorium ausschloß, das neben ihm ständig wuchs und ihn zum Feind erklärte, verstand er nicht, und mitten im Feindesland saß Lillian verschanzt hinter ihrer unversöhnlichen Sehnsucht, die sich als Ablehnung tarnte. Wir führen eine gute Ehe, behauptete er, mit den normalen Schwierigkeiten, wie sie die verschiedene Herkunft eben mit sich bringt. Er verschloß sich der Erkenntnis, daß sie selbst in den freundschaftlichen Phasen ihres Zusammenlebens keine gemeinsame Sprache mehr beherrschten.

Diesmal war Lillian allein, und niemand würde sie daran hindern, sich ihr Land von neuem anzueignen. Alles in der Abwesenheit Erstarrte würde in Bewegung kommen wie bei alten Filmen, in denen sich eine unnatürlich erstarrte Pose ruckartig auflöst und erst in der Bewegung Sinn ergibt. Auch die Vorstellung *zu Hause* würde ihre Magie verlieren, nichts daran würde mehr unantastbar sein, als könne es jederzeit zerstört und aufgesogen werden von der Zeit, so daß man voll übertriebener Ehrfurcht damit umgehen mußte, um es nicht vollständig zu verlieren. Nicht mehr unentwegt die Furcht vor dem Verlust aller Erinnerungen, dieser Seile und Stricke, die sie mit dem Festland der Vergangenheit vertäuten, damit sie sich nicht eines Tages damit zufrieden gab, daß sie genau das war, als was sie erschien, nicht ganz so lebenstüchtig, nicht ganz so wirklich wie die anderen. *Zu Hause* würde wieder, wie früher, Alltag bedeuten, nicht mehr auszumachen im beruhigenden Fluß der Tage und Stunden, die aufeinander folgten, ohne daß man sie zählen und ihr Ende vor Augen haben mußte. Das allein war unvorstellbarer Luxus, Sättigung ohne Ende und ohne die Notwendigkeit, Erinnerungen einzuhamstern für die Zeit danach.

Nichts war ihr als Requisit des Heimwehs zu schlecht gewesen, bloße Erinnerungen waren zu flüchtig, man mußte sie in Bildern und konservierten Tönen um sich versammeln, die Wände damit bedecken, die Betten und Tische, alles war gut genug, wenn es nur angereichert war mit den Gerüchen, Farben, Tönen von zu Hause. So weit entfernt in Raum und Jahren war sie genügsam geworden und kritiklos, ausgehungert, wie sie war, nach einem schwachen Duft, dem noch so schwachen Abglanz, wenn er nur Erinnerungen barg. So weit von ihrem Land entfernt, wäre Kritik ihr wie Verrat erschienen, den Kindern sang sie Lieder vor, die sie früher verachtet hatte, und plötzlich überkam sie bei ihren Melodien Rührung, die einen Kern von echtem Schmerz enthielt.

Sie schämte sich dafür, fand sich sentimental, geschmacklos, sie dachte, nur sie selber wäre vom Heimweh befallen wie von einem peinlichen Gebrechen, das man verschwieg. Aber einmal, als sie zu einem späten gemeinsamen Frühstück am Vormittag ihre Freundin Marlene besuchte, die aus Ohio stammte und die wie sie mit Mann und Kindern seit vielen Jahren in Innsbruck lebte, fand sie auf dem Küchentisch einen Brummkreisel mit dem Sternenbanner als Verzierung. Mit einem schuldbewußten Lächeln, als triebe sie einen kindischen Unfug, setzte Marlene den Kreisel in Bewegung, er spielte *Yankee-Doodle-Dandy* in einem quäkenden Leierkastenton, der zum Lachen reizte. Sie sahen einander an und lachten, sie lachten, bis ihnen die Tränen über die Wangen rannen, sie hielten sich aneinander fest, weil sie so lachen mußten, daß es schmerzte.

Du auch, rief Lillian, als sie sich gefangen hatte, bei dir hätte ich mir das nie gedacht.

Ja, ich hab manchmal Heimweh, gab Marlene zu, deswegen hat meine Mutter mir den Kreisel geschickt.

Dabei hatte Lillian gedacht, Marlene sei der gültige Beweis dafür, daß man ganz anders leben konnte als sie, umsichtig und tüchtig, ganz in der Gegenwart und doch in dem Bewußtsein, sie habe alles von sich mitgebracht und nichts verloren. Sogar ihr Deutsch war besser als das Lillians, und Lillian hatte oft bemerkt, daß Menschen mit Marlene freier umgingen als mit ihr, weniger gehemmt und weniger bemüht um ein Hochdeutsch, das ihnen fremd und unangenehm war.

Sie hatte Marlene durch Zufall kennengelernt, in

einer Apotheke zur Grippezeit. Die kleine Frau mit dem burschikosen blonden Haarschnitt, die neben ihr stand, sprach mit dem unverkennbaren Akzent des amerikanischen Mittelwestens, aber sie sprach so laut, mit solchem Nachdruck, als sei sie sich ihres Akzents und auch des Fehlers, den sie machte – sie sagte, für *den* Kinder –, nicht bewußt, oder unbegreiflicher noch, als sei alles so, wie sie es sagte, ganz in Ordnung. Lillian hatte sich angewöhnt, unter Menschen leiser als zu Hause zu reden und sich an einzelne zu wenden, als zöge sie diese ins Vertrauen und bäte sie gleichzeitig um Verständnis dafür, daß sie sich ihrer Sätze nie ganz sicher war, man könnte vermutlich alles anders ausdrücken, viel besser, sie kam mit ihrer Selbstkritik den Kritikern zuvor, immer bereit, den Spott durch Selbstironie vorwegzunehmen. Lillian verließ die Apotheke, bevor sie an die Reihe kam, holte die Amerikanerin noch an der Tür mit einem dringlichen *Excuse me* ein und saß zehn Minuten später mit ihr im Café Zentral, atemlos vom Erzählen. Jede entfernte Ähnlichkeit ihrer Lebensläufe erschien ihnen wie ein glücklicher Zufall, sie redeten und lachten so hemmungslos, als spräche niemand außer ihnen im Kaffeehaus Englisch. Während sie in Kathrin eine Freundin hatte, die ihr bereitwillig und mit selbstzerstörerischer Lust in die Einsamkeit des Fremdseins folgte, ihren Sprachverlust beklagte und lange Dialoge über das Anderssein führen konnte, wies Marlene jede Andeutung von Trübsinn wie eine Zumutung von sich.

Was soll das heißen, daß du hier nicht du selbst sein kannst, wollte sie wissen, wer wärst du sonst? Sie solle doch froh sein, wenn die anderen sie nicht so ernst nähmen wie sich selber, die nähmen sich ohnehin viel zu ernst: Dann nütz doch deine Narrenfreiheit aus! Sie sah sich herausfordernd um und legte ihre Beine auf den freien Stuhl. Ich fühle mich sehr frei hier, erklärte sie, viel freier als zu Hause in meiner Jugend.

Einmal, als Lillian abends anrief, um bei Marlene Trost zu suchen, alles war an diesem Tag wieder feindselig und unannehmbar fremd gewesen, rief Marlene ungeduldig: Du erinnerst mich an meine depressive Mutter. Die hat den ganzen Tag in ihrem Bungalow in der Vorstadt von Columbus gesessen und ist vor Langeweile und Einsamkeit schwermütig geworden. Ich habe mir geschworen, das passiert mir nie.

Dabei war ihr Leben nicht viel anders als das ihrer Mutter, nur lebte sie in einem anderen Land, aber sie hatte drei Kinder, war verheiratet, lebte in einem Reihenhaus am Berghang. Sie war glücklich in Europa, sie liebte alte Städte und die Berge, und in ihrer Stimme, in ihren schnellen, bestimmten Bewegungen und ihrem entschiedenen Gang lag eine verwegene Lust am Leben.

Manchmal fragte sich Lillian, wie ihre fast gleichaltrige Freundin wohl früher gewesen war, als junges Mädchen in Ohio, und ob sie genügend Gemeinsamkeit gehabt hätten, um Freundinnen zu werden. Ich war so anders, damals, sagte sie, viel selbstbewußter, freier. Ich auch, erwiderte Marlene, ich war so ernst, ich wollte in allem immer ganz perfekt sein, das Ausland hat mich davon befreit.

Marlene lud gern ein, tischte zu Thanksgiving Truthähne auf, fand sogar in irgendeinem Laden *sweet potatoes*, die Gäste kamen wie zu einem Folkloreabend, fühlten sich wohl, sagten nachher, sie sind schon großartig, die Amerikaner, so gastfreundlich und locker, und keiner verließ ihr Haus, ohne von Amerika zu schwärmen. Nur Lillian lernte allmählich eine verborgene Seite an Marlene kennen, die sie an ihre böhmische Großmutter Bessie erinnerte, die Härte ihres Pioniergeists, die Unnachgiebigkeit auch sich selbst gegenüber, die Weigerung, Gefühle zuzulassen, die ihrem unbeugsamen Glauben an Erfolg und Glück im Weg stehen konnten. Wer ihren Optimismus in Frage stellte, war ihr Feind. Das reizte Lillian oft zur Streitlust. Keinen Menschen hier interessiert, wer du bist und wer du einmal warst, wer deine Eltern waren und was du früher in Amerika erlebt hast. Du bist die Frau von deinem Mann, du trägst seinen dir fremd klingenden Namen, du bist die Amerikanerin, sonst nichts, und alles Frühere ist wie nie gewesen, da kannst du sie noch so oft einladen und sie bewirten, du bleibst ihnen gleichgültig.

Was du bloß immer mit früher hast, wunderte sich Marlene, das ist vorbei, das zählt nicht mehr, was zählt, ist, was du jetzt aus deinem Leben machst.

Niemand weckte so leicht Lillians Grausamkeit wie Marlene, den Wunsch, die andere so klein zu machen, wie sie sich selbst fühlte. Du bist hier genauso fremd wie ich, höhnte sie, jeder Betrunkene lallt akzentfrei, sogar dein dreijähriger Sohn macht nicht so viele Fehler, wenn er deutsch spricht, und du bildest dir ein, du wärst weniger eingeschränkt in deiner Selbstentfaltung als ich? Nicht einmal deinen Namen sprechen sie richtig aus, auch nicht den Ort, aus dem du kommst, sie geben sich gar keine Mühe, weil sie sowieso alles besser wissen und es gewohnt sind, dich zu korrigieren.

Es macht doch keinen Unterschied, ob sie Marlien

oder Marlene sagen, beschwichtigte sie die Freundin.

Doch für Lillian machte es einen Unterschied. Ihr wißt nicht einmal meinen Namen, dachte sie, wenn man sie ansprach, ihr wißt nicht, wer ich bin, es ist euch gleich, inkognito lebe ich unter euch, ein Nichts, ein Niemand. Das schlimmste, dachte sie, müßte es sein, fremd zu sein und es selber nicht einmal mehr zu merken.

Schau nicht soviel zurück, bat Marlene, *buck up, kiddo.*

Es waren oft nur Worte, eingestreute Phrasen, die Lillian wie Geschenke von Marlene empfing, dankbar und so gerührt, daß sie eine weniger spröde Freundin wohl vor Freude umarmt hätte: Du hast mir gerade ein vergessenes Wort geschenkt, einen seit Jahren unbenutzten Satz, genau das hat meine Schwester Lisa gesagt, wenn wir als Kinder von der Großmutter bestraft wurden, dann haben wir im Hof gesessen, unter den Büschen, *buck up, Lil*, hat sie dann gesagt, die Alte kann uns mal. Wie Beute hortete Lillian diese Sprachfragmente, die ihr die Freundin unaufgefordert zutrug, schrieb sie in ihr Notizheft, damit sie ihr nie wieder entfallen konnten. Manchmal, an einem Vormittag, wenn Marlene auf Besuch kam, wenn sie hereinstürmte, *hi, what's up*, hatte Lillian das Gefühl, sie brächte alles mit, was sie vermißte, und es sei wie zu Hause. Du bist so amerikanisch, sagte sie dann zärtlich, und es war wie eine Liebeserklärung.

Unter dem Fenster tauchte die Küste auf, ein gezackter, ausgefranster Rand Amerikas, sein nördlicher Rand, an dem entlang sie eine Stunde oder mehr nach

Süden fliegen würden, und es würde weiterhin so scheinen, als flögen sie geradeaus, die kürzeste Linie zum Ziel.

Lange Zeit stand sie in der WC-Kabine, sich selber gegenüber, regungslos, nur die Halsschlagader pochte. Sie hielt das Schminkzeug in der Hand. Wozu, wenn er nicht da war? Und wenn er da war und es ging etwas schief zwischen Flughafen und dem Hotelbett am Ende, würde sie denken, es war der fehlende Lippenstift oder die zerdrückte Frisur, man durfte nichts dem Zufall überlassen. Er ist bestimmt nicht da, sagte sie sich und schminkte sich entschlossen die Lippen, kämmte sich die Haare, trug Puder auf und dachte, lächerlich, in meinem Alter aufgeregt wie ein junges Mädchen.

Vor sechzehn Jahren war sie genauso aufgeregt gewesen. Davor die vielen Briefe, alles wie jetzt, nur damals hatte sie mit Sicherheit gewußt, daß Josef da sein würde. Todmüde und zu wach zum Schlafen hatte sie am Fenster gesessen und zugesehen, wie mitten in der Nacht die Sonne aufging, dort, wo sie hinflog, und so blendend hell, ohne Wolken, daß sie die Augen schließen mußte. Sie hatte frisch und unbeschwert aus dem Flugzeug steigen wollen, als gäbe es keine Zeitsprünge für sie, als sei der Sprung von einem zum anderen Leben für sie ein müheloser Schritt. Damals war sie dreiundzwanzig gewesen. Sechseinhalb Stunden hatte sie so gesessen, sprungbereit, mit feuchten Händen, und Josef hatte in der Ankunftshalle auf sie gewartet, mit einem großen Fliederstrauß und Händen, die genauso schwitzten wie die ihren. War es von Bedeutung gewesen, daß sie wußte, er würde da sein, wann immer sie ankam? Acht Stunden Verspätung oder zehn, es hätte für ihn keine Rolle gespielt, er hatte nichts anderes vor, es gab sonst nichts in seinem Leben als ihre Ankunft. Und sie wußte, es war gleichgültig, wie sie aussah, denn Josef hatte sie immer für unvergleichlich schön gehalten. Aber vielleicht kam sie selber nicht an sein Bild von ihr heran, und er mußte sie dafür strafen. Sie hatte immer nur gewußt, daß er sie liebte, weil er es sagte, nie, weil sie es fühlte, aber er würde verläßlich da sein, gleich, wo sie ankam, und auch das mußte als Zeichen gelten, als ein Beweis, wie er diesmal fehlte.

Beim Abschied vor elf Stunden hatte sie zum erstenmal seit vielen Jahren ein starkes Gefühl der Zugehörigkeit zu ihm gespürt: die fünfzehn Jahre in derselben Wohnung, die Kinder, jeder Gegenstand war so sehr gemeinsamer Besitz, daß sie am Ende nichts wegnehmen konnte, weil alles fehlen würde, und es schon zuviel war, daß sie selber fehlte. Er ging mit ihr zum Abflugschalter, schweigsam und bemüht, sie nicht mehr zu berühren, wie ein gefaßter Begleiter, der etwas freigibt, was ihm nicht gehört. Als sie sich gegenüberstanden, sagte sie schnell: *I love you*, und sah in sein ratloses Gesicht, bevor er sich abwandte. In diesem Augenblick tat es ihr leid, daß sie ihn verließ und das ersehnte Ende eingetreten war, die letzte Minute Gemeinsamkeit vertan – und so viel ungesagt.

Das Flugzeug zog Schleifen über Long Island, über dem Meer. Lillian wartete auf die Gefühle, die sie von früher kannte. Jedesmal beim Anflug die genaue Ortsbestimmung, die nicht wirklich stimmte: Das da unten ist Zuhause. Nur aus dieser Höhe stimmte es. Unten verlief sich alles in Stadtteilen und Straßen, und auf nichts paßte die Bezeichnung wirklich. Die Sicherheit nahm mit der Nähe ab. Doch solange das Flugzeug Kreise zog, gehörte alles unten ihr, war Ziel und Ursprung, sie konnte vor Rührung weinen und zärtliche Gefühle haben, für die sie sich schämte.

Zu manchen Zeiten lag die Rührung an der Oberfläche, war es ein bißchen wie im Kino, alles war Symbol, man ließ sich gehen und weinte um sich selber und um der Stimmung willen. So wie vor siebzehn Jahren, als sie zum erstenmal die Donau in der Sonne hatte blitzen sehen wie entrolltes Stanniolpapier und den Flickenteppich der gelben und grünen Felder: ein fremder Streifen Land, er stand für Europa, für die Großmutter. Es waren Bessies Wiedersehenstränen, die sie weinte, denn es gab niemanden auf dem ganzen Kontinent, den sie kannte, und keine einzige eigene Erinnerung, die sie mit dieser Ankunft verband. Sie saß nicht nur in einem Flugzeug, sie saß in einer Zeitmaschine und flog zurück, dreimal so viele Jahre wie sie alt war, in Bessies Jugend, in das Europa der Zwischenkriegszeit.

Ihr ganzes erwachsenes Leben hatte Bessie ihre Herkunft zu vertuschen versucht, ihre Sehnsucht verdrängt und doch nie leugnen können. Mit ihrem neuen amerikanischen Namen, nicht einmal ihr Mann durfte sie mehr Elisabeth nennen, und ihrem harten tschechischen Akzent war sie ein Leben lang bemüht gewesen, in Amerika Fuß zu fassen, manchmal mit einer Härte, als wollte sie sich selbst bestrafen, manchmal mit rührendem Übereifer, der ihren Enkelinnen peinlich war. Du solltest niederknien und den Boden küssen, forderte sie einmal eine Neueinwanderin auf, die über Heimweh klagte. Was sie nicht daran hinderte, billige Drucke österreichischer Alpenseen an die Wände zu hängen, mit handgestrickten Wollsocken an den Füßen zu schlafen und sich ein Leben lang über das schwammige Weißbrot zu beklagen, das nie schimmelte und auch nie frisch war. Gleichgültig, wie patriotisch sie die Vorzüge Amerikas pries, wo jeder, der fleißig sei, es zu Wohlstand bringen könne, es blieb an Bessie vieles unerklärlich, das einen anderen Ursprung haben mußte als den, der Lillian vertraut war, irgendwo in einem unvorstellbar fremden Land.

Manchmal, wenn Bessie von diesem Land sprach, wurde sie weich und jung, dort lagen eine kurze Jugend und jene Erfahrungen, die sich nicht wiederholen ließen, die erste heftige Liebe, die Hochzeit, das erste Kind und eine Freiheit, die es später unter dem Druck, sich einzugewöhnen und zu Geld zu kommen, nicht mehr gab. Sie hatte nie den Wunsch geäußert, zurückzukehren, nicht einmal Sehnsucht nach einem Besuch, wozu, das hätte Geld gekostet und sie ohnehin nur verstört, es war ja nichts mehr so wie früher, sie hatte vielleicht Angst, sich die Erinnerungen zu zerstören. Stolz zeigte sie die bräunlichen Fotos mit den gezackten Rändern her, die Hochzeitsfotos, ein junges schlankes Mädchen mit hochgetürmtem dunklen Haar und einem herausfordernden Blick in ihren schrägen Augen, daneben Paul, der unbekannte Großvater, mit hängenden Schnurrbartspitzen und dichten Augenbrauen. Die Männer haben sich nach mir umgedreht, erklärte sie kokett, so hübsch war ich. Alles an den beiden schien so entrückt und alt, als wären Jahrhunderte seither vergangen, die hohen Kragen, die Frisuren, die steife, etwas verkrampfte Haltung, alles verwies in eine ferne Welt, und diese Welt bestand noch, wenn auch verändert, alles, was an Bessie unverständlich gewesen war, nervtötend oder einfach lächerlich, hatte dort seinen Platz, in Europa, in Böhmen, Wien, und mußte noch zu finden sein, in Grundrissen und Spuren, in Gebäuden, Plätzen, Straßen, und deshalb war Lillian hergekommen, als Archäologin ihrer Herkunft. Und auch um festzustellen, wie groß ihr eigener Anteil war an einem Land, das sie aus zweiter Hand empfangen hatte, in Bruchstücken, irrationalen Vorurteilen und wehmütigen Geschichten. Wollte man Bessie glauben, dann gab es Wohlstand und ein sicheres Leben nur in Amerika, doch dafür gab es drüben, in Europa, Schönheit, eine überlegene Kultur und einen ausschweifenden dekadenten Luxus, den sie sich nie geleistet, immer nur erträumt hatte. Als sie mit fünfzig, nach dem Tod der Tochter, die beiden Enkelinnen und den Schwiegersohn versorgen und dazu noch deren Lebensunterhalt verdienen mußte, rückte sogar die Vorstellung von Wohlstand in weite Ferne. Dafür trieb ihre Sehnsucht nach europäischem Luxus bizarre Blüten. Was für hübsche Schuhe du anhast, rief sie bewundernd, als sie ihre Freundin Frieda, eine gebürtige Polin, auf der Straße traf, bestimmt Import, mutmaßte sie mit Kennermiene, aus Florenz? Nach ihrem Schlaganfall, von dem sie sich nie mehr ganz erholte, wurde sie wunderlich. Sie rauchte filterlose Zigaretten und ließ die Asche in einen Pappbecher, halbgefüllt mit Wasser, fallen. Die lasse ich mir aus der Schweiz schicken, sagte sie geziert, und ihre Stola, ein gestricktes Schultertuch, kam angeblich aus Brüssel. Mode blieb für Bessie Paris und Wien, von Kunst verstand sie nichts, doch Schönheit war in ihren Augen nie schlicht und sachlich, sondern verschnörkelt und verspielt, Barock und Jugendstil.

Luxus und Schönheit hatten in Bessies Leben wenig Platz gehabt. Am schwersten war der Anfang, erzählte sie, die fremde Sprache und die Wohnung ohne Wasser, mit Kakerlaken, die immer wieder aus den Fugen zwischen den Dielen krochen, der Luftschacht statt des Fensters im Schlafzimmer, aus dem es stank. Sie erzählte, wie sie die große Stadt geängstigt hatte, aber sie hätte ihre Angst überwunden, indem sie sich jeden Tag nach der Arbeit einen Häuserblock weiter vorgewagt hätte, einen Tag *uptown*, den nächsten *downtown*, bis sie das ganze Viertel kannte wie ihre Wohnung. Warum seid ihr dann ausgewandert, wenn es hier so schwer war? wollte Lillian wissen.

Wegen des Wohlstands, zu dem ein jeder kommen konnte, wenn er nur fleißig und genügsam war. Und weil der Schwager bereits eine Wohnung in der Bronx hatte, mit Zentralheizung und Dusche, und für ein Auto sparte, während sie nichts hatten, nicht einmal Arbeit. Lillian stellte sich Bessie vor, als junge Frau auf der Überfahrt von Bremerhaven nach New York, mit einem kleinen Kind, entschlossen, nicht zurückzublicken zu den letzten Küstenstreifen eines Horizonts, der ihr ganzes bisheriges Leben barg. Wie es ihr wohl gelungen ist, ihre Erinnerungen so frisch zu halten, hatte Lillian gedacht, als sie vor ihrer Abreise nach Wien mit Bessie am Küchentisch einen Stadtplan studierte. Nach fünfzig Jahren Abwesenheit besaß sie die Stadt und alle Bilder von ihr wie unter Glas, schön und kostbar und unvergänglich, unberührt durch die Zeit.

Mit soviel eindeutiger Klarheit besaß Lillian keinen

Ort. Sie war immer wieder zurückgekommen, und hatte jedesmal gleichgültig die Veränderungen wahrgenommen und den Erinnerungen angepaßt. Keines der Bilder mußte ewig halten, manches vergaß sie im Lauf der Jahre, manchmal überfiel sie in Europa plötzlich Angst vor dem Gedächtnisschwund, doch wenn sie zurückkam, dachte sie erleichtert, natürlich, so sieht es aus, wie konnte ich vergessen. Sie hatte an verschiedenen Orten gelebt, die sich übereinanderlegten mit ihren Rastern von Straßen und Stadtlandschaften, Erinnerungen lagen dazwischen wie lose Steine: der kleine Gemüseladen im Souterrain eines schmalen stuckverzierten Hauses, an dem sie täglich vorbeigegangen war, aber in welcher Stadt? Sie wußte es nicht mehr. Dickblättriger Rhododendron hinter schwarzen gußeisernen Zäunen, Straßenlaternen, die Laub wie Blütenblätter leuchten ließen, Bilder, die überallhin paßten, nach Brooklyn, Boston, oder war es die Reise nach Montreal mit ihrem ersten Freund? Dazwischen Bahndämme im Vorbeifahren, an denen langes trockenes Gras stand, unterbrochen von einander gleichenden Bahnstationen. Ungeordnete Bilder, ohne Beschriftung, Souvenirs der Ruhelosigkeit, kein Ort gehörte ihr, nur Schnappschüsse von der Küste, vom Marschland, vom Meer, und Namen, Straßen, Ortsbezeichnungen, die auf jede Stadt Amerikas zutrafen, aber auf keine in Europa, *Main Street, Downtown, Theatre District*.

Bronxville und Yonkers, die Städte ihrer Schulzeit, hatte sie oft besucht, solange Bessie noch dort wohnte. Nichts war mehr so wie früher, das alte Kino war renoviert worden, das frühere Schulgebäude beherbergte ein Videogeschäft, die Straßen wirkten breiter und verlassener, die Häuser, die noch von früher standen, kleiner und trostlos, und die Villenviertel dehnten sich aus und okkupierten das Marschland, drangen vor bis in das Vogelreservat und hatten mit ihren Bootsstegen schon das Meer erreicht. Sie war wie eine Fremde durch ihre Stadt gegangen, schlimmer, wie eine Enteignete, die ihren Besitz nur mehr am Lageplan erkannte. Nur die Landschaft im Norden und Westen war geblieben, Laubwälder, der Hudson River und kleine, zwischen Buschland verborgene Seen. Und New York im Süden, das Veränderungen ganzer Häuserblocks mühelos verdaute und nie unkenntlich wurde.

Dort könnte ich zur Not bleiben, dachte sie, in Manhattan, wenn mich keiner abholt und keiner will, dort kenne ich die Straßen wie im Schlaf, dort macht es nichts, wenn ich allein bin, und keiner wird mich fragen, hast du Kinder, wo ist dein Mann, wie kommt es, daß du so ziellos herumstreunst. Da kann ich tagelang meinen eigenen Spuren folgen, aus einer unbekümmerten Zeit, die weit zurückliegt, in der ich das Leben wie Rollen ausprobierte, frei von jedem Zwang, mich zu entscheiden, und überzeugt, ich würde im Lauf der Jahre noch viele Leben anziehen und wieder ausziehen und darunter unangetastet und unverändert bleiben.

Erst vor acht Monaten war sie in New York gewesen, doch da war keine Rede mehr von der früheren Gelassenheit. Seit sie Alan kannte, wurde sie das panische Gefühl nicht los, daß sie dem Glück Gewalt antun mußte, um es auf sich zu lenken, als seien ihre Lebensjahre bereits gezählt und bis auf wenige verbraucht. Und wenn sie wartete, bis die Kinder groß sein würden, dann war sie alt, und alles, was noch fehlte, würde unerreichbar sein. Sie fuhr zu einem von ihr beinah erzwungenen Treffen mit ihm und kam sich vor wie eine, die durch den dunklen Wald geht und sich fürchtet und deshalb laut ruft, es ist nichts, es bedeutet nichts, und bald ist es vorbei, ich habe keine Angst, ich spiele wieder mit dem Leben wie mit einer Fülle von Möglichkeiten.

Sie hätte ihren letzten Mut verloren, wäre ihr bewußt gewesen, wie wenig sie ihn kannte, und daß die Tage mit ihm in Innsbruck gerade ausgereicht hatten, daß sie sich ein vages Bild von ihm machen und es in seiner Abwesenheit zu ihrem Spiegelbild verzerren konnte. Sie glaubte, sie verstünde ihn und auch er sähe Gemeinsamkeiten. Doch als er vor ihr stand, auf den Stufen der Public Library an einem eisigen New Yorker Januarabend, da war er ihr fremd erschienen, schmal, jung und verschlossen. Er zupfte sie am Ärmel, keine Umarmung. Nach all den Umarmungen und Küssen in Briefen und Telefonanrufen nur ein schüchternes: Gehen wir essen. Die Windböen vom Meer her fegten durch die Straßen und fielen ihnen so heftig in den Rücken, daß sie mit hochgezogenen Schultern laufen mußten, die Hände in den Manteltaschen, es war zu kalt zum Reden, dafür war Lillian dankbar, zu viele stumme Dialoge hatte sie in seiner Abwesenheit mit ihm geführt, als daß das Reden jetzt leicht gewesen wäre.

Dann saßen sie in einem Lokal, halb Delikatessenladen, halb Imbißstube, im Windschatten der Grand Central Station, und sie saßen einander so nah an einem kleinen runden Tischchen, daß ihre Knie aneinanderstießen, aber Lillian war noch nicht sicher, ob sie die Berührung wollte oder wollen durfte. Sie sah ihn an und fand ihn beim genaueren Betrachten unverändert, alles war da, was sie an ihm anziehend gefunden hatte, das schmale Gesicht mit den Augen, die sie an russische Ikonen erinnerten, die hohe, runde Stirn mit dem ersten Ansatz einer Glatze an den Schläfen und sprödem dunklen Haar, der sanfte Schwung, der Kinn und Nase wölbte, ein kindlich unentschlossener Mund. Es war ein Gesicht, das zum Beschützen vor zuviel Wirklichkeit verführte.

Willkommen in New York, sagte er mit einem konspirativen Grinsen und stellte augenblicklich das alte Einverständnis zwischen ihnen wieder her, das keine Skrupel zuließ und alles guthieß, wie es kam. Sie erwähnte Josef und seinen Argwohn, als müsse sie sich Alans Komplizenschaft gegen den Rest der Welt versichern.

Na, wenn schon, sagte er.

Und wenn ihre Absicht, ihn zu ihrem Fluchthelfer zu machen, fehlschlug? Wenn sie mit Alan zusammen war, schien alles, was sonst schwer und wirklich war, wie ein Versuch, für den sie später nicht geradestehen mußte, wie eine Laune, die man für eine Weile am Leben hielt, bis sie langweilig würde. Wir sind doch Künstler, dachte sie verzweifelt entschlossen, zumindest Lebenskünstler, man soll mich jetzt in Ruhe lassen mit der Wirklichkeit, ich will für ein paar Tage spielen, ich wäre verliebt und keiner nähme daran Schaden. Sie grinsten einander an. Und wenn ich Josef verlasse, seinetwegen, und ihn belaste mit meiner Wirklichkeit, ihn nach der Zukunft frage, ist es dann zu Ende? Wenn das Verbotene erlaubt ist und ich nicht mehr ein ferner Traum bin, sondern ununterbrochene Gegenwart, die bleiben will, schickt er mich dann weg?

Keine verstohlenen Verschwörerblicke mehr, kein Tun-als-Ob, kommt dann die Langeweile?

Die Kellnerin kam an den Tisch: Alles okay?

Alles okay, rief er übermütig, alles wird von Minute zu Minute besser.

Das Paar am Tisch daneben kicherte. Wie ich ihn liebe, hatte Lillian gedacht. So sehr, daß es weh tut.

Er wird ganz sicher in der Ankunftshalle auf mich warten, sagte sie sich. Das Flugzeug setzte mit einem sanften Aufprall auf dem Rollfeld auf, und wie jedesmal beim Landen mußte sie Tränen schlucken, während die anderen klatschten. Sie fühlte sich sehr patriotisch, als wäre der Applaus für sie, Beifall zur Heimkehr der verlorenen Tochter. Wie einfach manchmal alles war, wie im Kino. Er wird da sein, sagte sie sich und staunte über ihre eigene Gewißheit. Wenn er mich liebt, wird er da sein.

Ein einziges Mal dazugehören und es spüren, das hatte sie sich schon als Kind gewünscht, auf dem Spielplatz, unter den irischen Einwandererkindern, deren Väter die *landlords* waren. Sie selber hatte nichts gehabt, womit sie hätte auftrumpfen können, jedenfalls nichts, was in der Umgebung, in der sie aufwuchs, zählte: Besitz, Ansehen der Eltern, ein Auto und einen großen imposanten Vater, der darin vorfuhr, eine elegante Mutter oder zumindest eigene Überlegenheit über die Meute, Zähigkeit, Durchtriebenheit und Körperkräfte, die Fähigkeit, sich andere zu unterwerfen. Was macht dein Vater?

Er ist Schriftsteller, er macht Bücher.

In seiner Fabrik?

Nein, zu Hause, er druckt sie nicht, er schreibt sie.

Aber er verdiente nichts dabei. Die Großmutter verdiente und brauchte für den Lebensunterhalt das Vermögen auf, das vom Großvater noch da war.

Und deine Mutter?

Die ist tot. Mehr war darüber auch von den Erwachsenen nicht zu erfahren.

An was ist sie gestorben, wollten die Kinder wissen.

An einem Unfall, laßt mich in Ruhe. Darüber durfte nicht gesprochen werden. Später erfuhr sie, daß es der Vater war, der den Unfall verursacht hatte, auf einer verschneiten Fahrbahn in New Hampshire. Im anderen Auto hatte es zwei Schwerverletzte gegeben. Er kam davon mit einer Schuld, die seinen Lebenswillen für alle Zukunft lähmte, und einer Schuldenlast, an der er verarmte. Von da an verbrachte er die Tage in seinem Zimmer, im Halbdunkel bei heruntergelassenen Jalousien, und schrieb an Manuskripten, die nie zu Büchern wurden.

Bessie hatte die Zügel in der Hand, sie war Kassiererin in einem Selbstbedienungsrestaurant, daneben führte sie den Haushalt, forderte von den Kindern Leistungen und gute Noten, sah ihre Hausaufgaben durch und überwachte, so gut sie konnte, ihre Freizeit. Den Vater behandelte sie wie einen unmündigen Schmarotzer, den sie aus Anstand nicht vor die Tür setzte.

Je weniger Lillians Umgebung von ihrem außerhalb jeder Norm verlaufenden Familienleben erfuhr, desto besser. Weil sie nichts besaß, womit sie sich behaupten konnte, zog sie sich zurück, saß in den Ferien auf einem Absatz der Feuerleiter über dem Küchenfenster mit einem Buch, beobachtete von ihrer Höhe aus die anderen Kinder unten auf der Straße und schrieb Gedichte.

Und auch die späteren Erinnerungen an die Jahre im College, wo sie erfolgreich und bei ihren Mitstudentinnen beliebt war, wurden verdunkelt und geprägt von jenen Samstagabenden, an denen sie allein saß, während die anderen Mädchen von jungen Männern ausgeführt wurden und sie die einzige im ganzen Stockwerk war, die am Samstagabend, am Abend der Rendezvous, lernte.

Nein, es war nicht so, daß sie an den Orten, die als erste in ihrem Lebenslauf standen, wirklich zu Hause gewesen wäre. Das war ihr erst später so erschienen, als sie im Begriff war, dies alles aufzugeben. Erst ganz am Schluß, als sie alle Anfänge abbrach, das Studium, die Freundschaften, die Gewohnheiten des Alltags, war sie mit einem neuen Blick vorweggenommenen Heimwehs durch die Straßen gegangen, mit den Augen des Abschieds, und hatte sich vorgestellt, wie alles ohne sie weiterbestehen würde, die nachgedunkelten Backsteinhäuser mit ihren schwarzen Feuerleitern und die schütteren, in die Gehsteige einbetonierten Bäume, die Glyzinienlaube neben dem *student pub* auf dem Campus, die Rasenflächen, wo sie an sonnigen Tagen mit ihren Freundinnen gesessen, studiert und diskutiert hatte. Aber sie hatte sich die ganze Schwere des Verlusts nicht vorstellen können, zu sehr war sie damit beschäftigt, zum erstenmal mit allen Sinnen in Besitz zu nehmen, was ihr nun nicht mehr gehörte. Später erschien ihr das als Heimweh: die Trauer, daß sie an jenen Orten, die ihr als die einzig wirklichen erschienen, fehlte.

Immer, wenn sie benommen, mit steifen Beinen und

müde von zu langem Sitzen, durch das Niemandsland kahler Ankunftshallen ging, war sie ihrer Zugehörigkeit so sicher wie zu keiner anderen Zeit. Denn dort, am Paßschalter für amerikanische Staatsbürger konnte man sie nicht, wie überall sonst, abweisen. Hier sind sie für mich verantwortlich, dachte sie, wie ich drüben ununterbrochen für sie verantwortlich war. Einen Augenblick lang unzerstückelte Anwesenheit zum Empfang, die Gewißheit dazuzugehören.

Auf der anderen Seite des Atlantiks, in Frankfurt, Zürich oder Wien, wo immer sie ankam, war sie von dem Augenblick der Paßkontrolle an eine Fremde mit fremdem Paß. Sie hätte genausogut ein Flüchtling sein können, schutzlos und unerwünscht, sie stellte es sich jedesmal vor, und die Unsicherheit, wenn sie auch nur ein paar Sekunden dauerte, während der Beamte vom Paß aufblickte und sie ansah, streifte alles von ihr ab, was sie besaß. Das war das Drehkreuz, an dem der Verlust sie einholte und sie zugleich empfing, er war schon dabei, wenn sie Josef unter den Wartenden stehen sah. Und er wunderte sich, warum sie so gereizt war bei jeder Ankunft und schweigend im Auto saß, als geschähe von jetzt an alles gegen ihren Willen. Wie konnte sie Josef gegenüber von ihrer unbegründeten Angst sprechen? Sie war es doch gewesen, die sich gegen alle Vernunft geweigert hatte, die österreichische Staatsangehörigkeit anzunehmen, die behauptet hatte, sie wolle sich nicht einbürgern lassen, weil sie sich mit Österreich nicht vorbehaltlos identifizieren könne.

Jetzt war der Augenblick gekommen, in dem die Glastür zur Wartehalle zur Seite glitt und Lillian, wie bei einem Bühnenauftritt, vor eine Wand von Blicken trat, gesehen wurde, ohne daß sie selbst die vielen

Gesichter unterscheiden konnte. Sie hatte oft genug dafür geübt, zu Hause, vor dem Spiegel, es war so ungewohnt, sich vorzustellen, sie könnte die Antwort sein auf eines anderen Menschen Traum. Hastig streifte ihr Blick Gesichter, begann von neuem, diesmal langsamer, genauer: seines war nicht darunter. Doch sie gab nicht auf, sah immer noch zur Absperrung zurück, während Nachkommende sie in die Halle schoben. Jeder, der ankam, schien jemanden zu erkennen, der nur für ihn hergekommen war. Nur sie stand wie verwaist zwischen den sich Küssenden und Umarmenden und konnte sich noch nicht entschließen, in irgendeine Richtung davonzugehen, als hätte sie ein klares Ziel.

Ein Mann fiel ihr auf, der Alan ähnlich sah: So würde Alan warten, dachte sie, im Hintergrund, nervös und finster vor unterdrückten Ängsten, halb ungeduldig und halb auf der Flucht, der schmale Hinterkopf, das dunkle Haar, das in den Nacken wuchs. Vielleicht ein Bruder, wenn er einen hatte, vielleicht ein Freund, den er ihr schickte, selbst zu feige, sich der Endgültigkeit, die sie ihm aufdrängte, zu stellen, sie anzunehmen, dankbar und ohne Fragen, wie ein Geschenk. Der Mann schien jemanden zu suchen, den er nicht kannte, er sah jeder jungen Frau abwägend ins Gesicht, schien ein bestimmtes Gesicht zu suchen und mit einer vagen Vorstellung zu vergleichen, zweimal sprach er kleine, gedrungene Blondinen an, sie schüttelten die Köpfe, und er trat zurück mit einer Geste verlegenen Bedauerns. Auch Lillian streifte er mit einem kühlen Blick. Sie lächelte ihm zu, er war der einzige, der jemanden suchte, und sie die einzige, die niemanden fand. Er ist es, der auf mich wartet, dachte sie, er muß es sein, das sieht Alan ähnlich, einen Freund zu schicken. Der Mann hatte sich abgewandt und starrte wieder auf den Ausgang, und sie fixierte seinen Rücken, als müßte sie ihn mit Blicken zu sich ziehen, um ihn zu überzeugen: Vergiß das Foto, vergiß seine Beschreibung, ich bin es, sag schon was. Es war nicht vorstellbar, daß sie gleich allein hinausgehen mußte in diesen abweisend hellen, fremden Tag.

Erst, als niemand mehr durch die Glastür kam, zuckte er die Achseln und wandte sich zum Gehen, und Lillian nahm ihren Koffer, um ihm nachzulaufen. Er hatte sich nicht einmal mehr nach ihr umgedreht. Der Mut verließ sie. Sie trat gefaßt und allein in die schwüle Hitze des späten Nachmittags, sie war angekommen, ohne daß es irgend jemanden berührte, unbemerkt.

Von dem hohen Busfenster aus betrachtete sie die bläulich getönte Landschaft, flach und zersiedelt von kleinen hellen Vorstadthäusern, gebleicht von vielen Sommertagen, geduckt unter dem Dröhnen tieffliegender Flugzeuge. Die niedrigen Holzhäuser tauchten auf wie Erinnerungen, vertraut bis in die Einzelheiten, die Fliegengitter vor den Haustüren, die hartblättrigen Zwergsträucher unter den Fenstern, die ungewohnt großen Autos in den Einfahrten, die Rasensprenger, die das gelbe harte Gras kaum zu benetzen schienen, alles wie provisorisch hingestellt, einladend und ohne Barrieren von Zäunen, Hecken und schweren Toren.

Das Ende jahrelangen Heimwehs, dachte sie, alles ist noch da. Und trotzdem regte sich kein Verlangen, sich einzunisten und wieder in Besitz zu nehmen, alles erschien auf eine vertraute Weise fremd. Es war wie sooft beim Reisen: Alles erinnerte sie an etwas, an Dinge, von denen sie nicht wußte, ob sie sie genauso je zuvor gesehen hatte, aber nie kamen sie an ihre Vorstellung heran, sie waren immer eine Spur kleiner, eine Spur anders. Auch in Europa war es ihr nach der ersten Begeisterung so ergangen. Sobald sie die Erwartung der anderen spürte, sich eine Umgebung, eine Landschaft anzueignen, setzte das Unbehagen ein. Sie wollte nur betrachten, vielleicht sogar für kurze Zeit besitzen, aber nicht bleiben.

Was hast du, hatte Josef sie gefragt, als sie in Innsbruck in das neue Haus einzogen, ich dachte, es gefällt dir, du hast es ausgesucht, du kannst doch nicht behaupten, hier sei es nicht schön.

Sie schaute aus dem Küchenfenster, es war Frühling und der Kirschbaum auf ihrem eignen Grundstück blühte, und auf den Berggipfeln lag noch Schnee.

Ja, sagte sie und konnte kein Glück, keine Begeisterung erzwingen, hier *ist* es schön.

Aber immer, schon seit ihrer Kindheit hatte sie geglaubt, daß sie sich irgendwo anders besser fühlen würde. Josef dagegen hatte Familiensinn und einen Nistinstinkt, der sich an jedem leerstehenden Bauernhaus entzünden konnte, überall, wo es ihm gefiel, wollte er wohnen, die Ferien verbringen, ein Häuschen bauen.

Erinnerst du dich, hatte er am Ende, bevor sie ihn verließ, gefragt, wie wir im Spätsommer nach der Hochzeit über den Semmering gefahren sind? Wie glücklich uns die Landschaft gemacht hat, wie wir am Fenster standen und davon träumten, irgendwann einmal mit unseren Kindern hier die Ferien zu verbringen? Und später, als wir Kinder hatten, blieben wir die ganzen Ferien über zu Hause, weil du es nirgends lange aushältst. Heim wolltest du, nichts als heim. Jetzt fliegst du fast jeden Sommer heim, und bist du glücklich? Nein! Über den Semmering sind wir kein zweites Mal gefahren, ich will auch nicht mehr, so kann ich mich wenigstens an unsere Begeisterung von damals erinnern.

Lillian wollte sich nicht erinnern, selbst die Erinnerungen ärgerten sie, dieser Selbstbetrug, daß sie dort leben könnte. Dumm war ich, dachte sie, ich hielt die Ferien für das Leben.

Auch später hatte die inzwischen vertraute Landschaft der Westbahnstrecke noch unerwartet an manchen Stellen den Reiz des Neuen auf sie ausgeübt, zum Beispiel an einem Fluß, dessen Ufer von Gebüsch verwildert waren, oder in einer düsteren Jahreszeit der Anblick krummer Mostobstbäume, wenn Nebelschwaden tief über herbstlich entblößten Äckern hingen. Doch meist, wenn sie im Zug vorüberfuhr, glaubte sie an der Nähe der Berge ersticken zu müssen, und wenn die Felsen auseinandertraten, wurden die Hügel tristes Ackerland. Kein Dorf und keine Ortschaft weckte mehr in ihr die Neugier, auszusteigen und sich umzusehen, und ihre Bereitschaft, Menschen zu begegnen, war der ständigen Furcht gewichen, beim ersten Satz als Fremde erkannt zu werden, die mißtrauischen Blicke bei der Frage *Sie sind nicht von hier...?* standhaft und freundlich ertragen zu müssen und auf jede Bemerkung, die dann kommen konnte, gefaßt zu sein. An Wochenenden fuhr sie mit Josef und den Kindern in die umliegenden Dörfer. Sie machten einen Ausflug ins Touristenland, doch Lillian war weder einheimisch, noch war sie Touristin, sie war einfach nur fremd. Und immer dachte sie, wenn ich hier leben müßte, ginge ich zugrunde.

Aber du kennst ja nicht einmal die Umgebung der Stadt, rief Josef. Immer war da noch ein Tal, noch eine Höhe, noch ein Skigebiet. Sie schüttelte den Kopf: Ich komm nicht mit, es ist doch überall das gleiche, ich habe für mein ganzes Leben von dieser Landschaft genug. Ihre Bedürfnisse waren geschrumpft wie die Haut über einer Narbe, ihre diffuse Sehnsucht nach Ferne, die sie nach Europa getrieben hatte, umschloß jetzt nichts mehr als den dumpfen Schmerz des Heimwehs.

Einige Jahre lang hatte sie sich überreden lassen, im Sommer mit den Kindern ein paar Wochen bei Josefs Kusine auf dem Bauernhof in einem Bergtal zu verbringen. Aus Höflichkeit war sie mitgefahren, wegen der Kinder, die Verwandten wollten ihr Gutes tun, da sie doch fremd war und jemanden brauchte, der ihr die Schönheit der Berge entdecken half.

Gibt es etwas Schöneres, fragten sie auf der Fahrt durch die frühe Dämmerung. Die Nachmittagssonne wurde bereits bis zu den Gipfeln hinauf von blauen Schatten verdrängt.

Ich habe schon seit Jahren keinen Sonnenuntergang mehr gesehen, sagte sie.

Es ärgerte sie, daß man ihr die Landschaft vorsetzte wie selbstgebackenen Kuchen und ihr keine Wahl ließ, als höflich zu loben und sich zu bedanken. Wie konnte sie das Angebotene zurückweisen, wenn man sich so sehr bemühte.

Was ihre Lieblingslandschaft sei, wollten sie wissen.

Zögernd erzählte sie von ihrer Kindheit an der atlantischen Küste, von der Einsamkeit des Strandes an stürmischen Novembertagen, wie klein sie sich vor dem Meer gefühlt hatte und wie aufgehoben, welche Ruhe in der Brandung lag, und daß sie sich nirgends so sicher fühlte. Oder in der Nacht, sagte sie, vor dem Einschlafen die Wellen, das hört nie auf, wie Atmen im Nebenzimmer, beruhigend und verläßlich. Und im Sommer, an heißen Tagen, nach einem Gewitterregen, ist die Luft schwer vom Salzgeruch. Sie betrachteten ihr entrücktes Gesicht von der Seite, hatten sie noch nie so begeistert gesehen, sie lächelten nachsichtig, gerührt von ihrer Sehnsucht, dachten vielleicht, wie sie im Flachland die Berge vermissen würden, und konnten bei allem guten Willen nicht sehen, was sie sah, nur graues Meer im November, Kälte, die unter die Kleider kroch, und einen endlosen öden Streifen verlassenen Strands.

Ja, ja, sagten sie freundlich, das ist bestimmt sehr eindrucksvoll.

Wie schön das Meer erst sein muß an einer Steilküste, fügte die Kusine hinzu, wenn Meer und Berge aufeinandertreffen, hast du das schon einmal erlebt?

Ja, sagte Lillian, weiter im Norden, in Maine, da war ich mit Josef vor vielen Jahren.

Aber das war es nicht, woran sie sich erinnern wollte. An Maine dachte sie wie an Ansichtskarten von einer Urlaubslandschaft. Sie hatte Stimmungen gemeint, für die sie als Kind keine Namen gehabt und auch keine gebraucht hatte, Erschütterungen, absolut und unzerteilt, die noch nicht Glück hießen, Trauer oder Furcht, sondern ganz einfach Sand, Ebbe und Flut, Sonnenaufgang, Brandung, Tang. Nichts, was sie später gesehen hatte, lebte mit so starken Farben und ungebrochenen Konturen in ihr wie diese ersten Ausschnitte der Meerlandschaft, begrenzt und ohne den Anspruch, sich zu messen. Die ersten Eindrücke, ganz unverstellt durch Sprache: das Explodieren der aufgehenden Sonne, ein Feuerwerk über der Haut des Wassers. Die grauen Muscheln, wenn das Meer zurückwich und der dunkle Streifen immer breiter wurde, der schwarze Tang ein schmutziger Rand an einem erdumspannenden Krater, der sich in seinem eigenen Rhythmus leerte und füllte. Und trotz des Wissens um seine Regelmäßigkeit bei jedem Gang über den feuchten Streifen Sand auf der Suche nach Strandgut immer die leichte Angst im Rücken vor der Welle, die sich plötzlich hinterrücks aufbäumen konnte, um sie wie ein Riesenfisch zu verschlingen.

Sie hatte Muscheln gesammelt wie alle Kinder, die am Meer aufwachsen, und sie ans Ohr gehalten und es darin rauschen gehört, sie konnte nach Jahren noch die seidige Glätte ihrer Innenseite und die rauhen Muster der Schale an ihren Fingerkuppen spüren, auch noch an jenem Abend während der Fahrt ins Gebirge, aber beschreiben konnte sie es nicht. Schweigend saß sie im Auto und dachte an den Nachmittag vor ihrem letzten Rückflug nach Europa, einen regnerischen Septembertag am Strand mit schnell ziehenden, vom Wind zerfetzten Wolken, die Möwen waren im Tiefflug über sie hinweggeglitten, und sie hatte gedacht, es läge an der Witterung, daß ihre Angst vor dem Verlust sich nicht verscheuchen ließ.

Je weiter sich der Bus vom Flughafen entfernte, desto dichter schlossen sich die Häuser zu einem Stadtteil zusammen, der der Schnellstraße den Rücken kehrte.

Dazwischen eine lange Strecke Parklandschaft, ein künstlich angelegter See mit Segelbooten. In ihrer Stimmung freudiger Erwartung erschien es Lillian, daß diese Stadt mehr Licht und Klarheit versprach als die verrußten Rückseiten europäischer Großstädte, bevor man in die Hauptbahnhöfe einfuhr. Die Wohnblöcke formierten sich wie kühle geometrische Ideen, befreiend und fern, unmöglich, sie sich mit besitzergreifender Phantasie anzueignen.

Nein, wohnen wollte sie hier nicht, nur schauen, staunen über die kühnen Entwürfe einer Stadtlandschaft, die großzügigen Streifen der Autobahnausfahrten hinunter in die bereits schattigen Straßen von Queens, während halbabgewandt auf den Fassaden gegen Westen das weiche tiefe Gelb der Abendsonne lag. Sie fürchtete sich vor dem Augenblick, in dem der Bus endgültig in den Terminal einfuhr, sie wollte noch nicht ankommen, wollte immer nur weiterfahren, durch New York hindurch und weiter, vielleicht am Meer entlang oder nach Westen hinaus aufs Land, an Vorstädten vorbei, egal wohin, solang sie fuhr und ihre Reise noch nicht zu Ende war.

Am La Guardia-Flughafen wartete eine neue Gruppe Reisender. Plötzlich begann ihr Herz zu rasen, eine heiße Welle stieg in ihr auf, ein Mann schob sich mit den anderen zum Einstieg, eine wuchtige, leicht vorgebeugte Gestalt mit hochgezogenen Schultern, den Kopf wie unter einer Windböe geduckt, ihr Vater. Sogar die Art, wie er in seinen Taschen kramte, mit wütender Hast, als hätte man ihm schon wieder einen Streich gespielt und ihm hinter seinem Rücken die Taschen ausgeleert, war die seine. Er suchte heftiger, ein verhaltenes Toben in den zielloser werdenden

Bewegungen, dann gab er auf, und seine Schultern fielen nach vorn, er suchte offenbar nach Fahrgeld. Sie griff nach ihrer Handtasche, als hätte sie auf diesen Augenblick gewartet. Hatte sie sich nicht schon früher oft gefragt, was wird aus ihm, wenn er alt ist und keiner mehr auf ihn aufpaßt, wenn er nicht einmal mehr Gelegenheitsjobs bekommt? Der Anblick jedes verwahrlosten alten Mannes hatte sie berührt. Jetzt war es ihr Vater, es gab keinen Zweifel, und es konnte kein Zufall sein, es schien ihr wie eine kaum glaubliche Fügung, daß er der erste war, dem sie begegnete.

Der Mann vor dem Autobus wandte sich ab, trat aus der Reihe der Wartenden und schaute, als hätte er ihren Blick gespürt, zu ihr hinauf, ein etwa Vierzigjähriger, kaum älter, ein mißmutiges, verbrauchtes Gesicht, aber nicht das ihres Vaters, nur seine einstige Haarfarbe, ein Braun, das in der Sonne rötlich schimmerte, nur seine vom Leben geknickte Körperhaltung. So hatte er damals ausgesehen, vor vielen Jahren, als er sich von ihr abwandte, ohne Abschied, in einer mexikanischen Kneipe an der Lower East Side.

Von diesem letzten Treffen mit dem Vater an hatten sich ihre Entschlüsse und Handlungen überstürzt, sie hatte jede Gelegenheit, von Zuhause wegzukommen, begierig und dankbar ergriffen, zuerst das Auslandsstipendium nach Wien, dann Emigration und Ehe. Dem Vater war sie aus dem Weg gegangen, oder er ihr, sie hatte ihm geschrieben, wenn es etwas zu berichten gab, die Hochzeit, die Geburt der Kinder, er hatte Glückwünsche gesandt, doch zu Besuch gekommen war er nie. Und wenn sie in Amerika war, hatte sie es vermieden, ihn zu treffen, sechzehn Jahre lang. Nur einmal hatte sie ihn in dieser Zeit gesehen, beim Begräbnis der Großmutter.

Ja, so war er damals aus der Kneipe gegangen, genauso wie dieser Mann nun langsam zum Flughafengebäude zurückging, nur daß ihr Vater sich draußen die Kapuze über den Kopf gezogen hatte, weil es schneite.

Sie war allein am Tisch zurückgeblieben, vor den beiden Gedecken, die er beim Hinausgehen bezahlt hatte, und dem verschnürten Paket voller beschriebener Seiten. Den ganzen Nachmittag hatte sie auf ihn gewartet, ein harter, mit Schnee vermischter Regen hatte sie Stunden zu früh in die Kneipe getrieben, wo sie sich an der Bar mit dem Martini, den sie sich bestellt hatte, mitten im erwachsenen Leben fühlte. Es war wie in einem Film, in dem sich die Handlung ganz allmählich entfaltet, und sie achtete genau auf jede ihrer Bewegungen: Sie stellte die junge Dichterin dar, am Anfang ihrer atemberaubenden und wahrscheinlich tragischen Laufbahn, die junge, noch unbekannte Dichterin, die ihren heruntergekommenen Vater in einer Bar trifft, den ehemals bekannten Schriftsteller, der düster, mit Selbstmordabsichten im Kopf durch die Stadt streift. Diese Szene war eine Schlüsselszene, ein Wendepunkt. Denn von nun an würde sie nicht mehr bloß seine Tochter sein, sie hatte sich mit ihrem ersten Preis bei einem literarischen Wettbewerb einen Platz unter seinesgleichen erworben. Stolz sollte er auf sie sein, denn war es nicht seine Begabung, von ihm geerbt, mit der sie ihn nun übertraf? Hartnäckig hatte er so getan, als bemerkte er ihre Schreibversuche nicht, hatte, was sie schrieb, immer nur überflogen und wortlos weggelegt. Dabei hatte

Lillian nur für ihn geschrieben und für den Tag, an dem er nicht mehr anders konnte, als sie anzuerkennen und zu bewundern.

Solange sie sich zurückerinnern konnte, war er zu Hause verdrossen, schweigsam und meist unsichtbar gewesen, der Klang seiner Schreibmaschine, nicht seiner Stimme, hatte ihrer aller Leben bestimmt. Man ging leise an seiner Tür vorbei, das Schild »Bitte nicht stören« hing an der Türklinke und forderte Stille. Er war im Haus, ging selten fort, doch jede Annäherung machte ihn ungeduldig, alles störte ihn, alles irritierte ihn, als sei das Leben eine einzige Zumutung. Es mußte eine schwere, niederdrückende Arbeit sein, die er verrichtete, hatte sie als Kind ehrfürchtig gedacht. Die dunkle Bedrückung, die von seinem Arbeitszimmer ausging und sich wie feiner unsichtbarer Staub über die Wohnung legte, war die stärkste Erinnerung ihrer Kindheit. Aus Bessies haßerfüllten Anschuldigungen wurde deutlich, daß seine Arbeit Zeitvergeudung war, er habe seit Jahren nichts veröffentlicht und nichts verdient, warf sie ihm vor, sie, eine alte Frau, müsse den Lebensunterhalt bestreiten und sich um seine Kinder kümmern. Aber davor, wandte er ein, habe es eine Zeit der Erfolge und des Glücks gegeben, sogar des Überflusses, und wenn es auch vorbei sei mit dem Glück, der Erfolg könne wiederkommen, wenn man ihn nur in Ruhe schreiben ließe. Bei ihren Auseinandersetzungen gab es immer eine Zeit »davor« und eine Zeit »danach«, die Wende war die Katastrophe, über die sie schwiegen, der Tod der Mutter. Es schien beiden zu schmerzlich, anders als in Anspielungen davon zu sprechen, und dennoch gab es kein Gespräch und kaum ein Tag verging, ohne daß von neuem die Frage nach der Schuld auftauchte. Du bist mein Fluch und nicht mein Schwiegersohn, der Todesengel bist du, schrie Bessie, und der Vater floh wortlos in sein Arbeitszimmer, während sie weiterzeterte, sie habe es sofort gespürt, daß er das Unglück mit sich herumtrug, schon an dem Tag, als Muriel ihn zum erstenmal mit nach Hause brachte. Verblendet sei das Kind gewesen, verführt und kopflos verliebt, ein schlechter Umgang, habe sie das Kind gewarnt, doch welches verliebte starrköpfige Mädchen hört schon auf seine Mutter. Das eigentliche Unglück sei, daß er statt ihrer Tochter am Leben geblieben sei und daß sie, Bessie, ihn als Vater ihrer Enkelinnen ständig ertragen müsse.

Er schwieg, als stimme er ihr zu. Manchmal sagte er, sie habe keine Ahnung, wieviel ihm Muriel bedeutet habe, er sagte auch, sein Leben sei ihm nichts mehr wert seit ihrem Tod. Aber er sagte es nicht zur Schwiegermutter, um sich zu verteidigen, sondern zu den Kindern, die er damit nur ängstigte. Als Vater verweigerte er sich, es war, als wollte er für niemanden mehr anwesend sein, als hätte er nichts mehr zu verschenken. Und trotzdem liebten ihn die Töchter, oder gerade deshalb. Sein verschwiegenes Leiden, das sie nicht verstanden, nährte ihre Liebe, wenn er den Raum betrat mit schleppenden Schritten, als wäre ein jeder der letzte, den er gerade noch schaffte.

Lillian wußte nicht genug von ihm, um an jenem Abend in New York gleich zu erkennen, daß er niedergeschlagen war, düsterer als gewöhnlich, und daß sich langsam eine Wut in ihm zusammenbraute, die seinen Blick feindselig machte und seinen Mund hart und böse, während sie munter und blind vor Glück den großen Augenblick beschrieb, wie der Kritiker, du kennst ihn sicher, sagte sie, sie beglückwünscht habe, zum Anfang einer Karriere.

Er hatte schließlich das Besteck auf den Tisch gelegt und mit zorniger Hast Zahnstocher geknickt.

Was hast du, fragte sie, was ist mit dir, hast du keinen Erfolg gehabt?

Er hatte am Nachmittag wegen eines Manuskripts eine Agentur aufgesucht, das wußte sie. Doch sie war von ihrem eigenen Glück geblendet und rücksichtslos von sich eingenommen. Hatte sie vielleicht in ihrer Euphorie etwas Verletzendes gesagt, fragte sie sich später, hatte ihre Stimme Spott verraten oder Herablassung? Hatte sie ihn spüren lassen, daß auch sie längst nicht mehr an ihn glaubte, sich ihm an diesem Abend überlegen fühlte?

War er langsam aufgestanden oder wütend aufgesprungen? Plötzlich stand er über ihr und schrie, laut genug, daß man es an den anderen Tischen hören mußte, ein Auftritt, wie er ihn wohl seit langem unterdrückt hatte, eine Abrechnung, die er mit sich herumtrug – nun brach sie hervor. Zehn Jahre Arbeit, schrie er, und wofür? Zermürbt und aufgerieben von dieser rachsüchtigen Alten und zwei lästigen Quälgeistern, keinen Tag Ruhe, keine Minute Glück, wie soll man das ertragen und dabei noch arbeiten? Zehn Jahre habt ihr mir gestohlen, ohne euch zu bedanken, und jetzt machst du dich über mich lustig!

Ich mache mich nicht lustig, sagte sie hilflos.

Aber er hörte nicht zu, er riß das Manuskript aus der Plastiktasche und warf es auf den Tisch. Das kannst du behalten, das vermache ich dir. Und dann sagte er, laut und für jeden hörbar, den Satz, für den sie sich am meisten schämte: Jetzt ist es wohl an der Zeit für König Lear, zu gehen.

Später, als Lisa ihn einmal vor Bessie in Schutz nahm, mit der Behauptung, er habe eben mehr als alles andere die Sprache geliebt, hatte Lillian gesagt: Unser Vater hat nie die Sprache geliebt, sondern nur die Phrasen.

Aber damals, allein in der Kneipe zurückgelassen, war sie sicher gewesen, er würde geradewegs von einem Hochhaus oder von der nächsten Brücke springen vor Verzweiflung und aus verletztem Stolz.

Sie fuhr noch in derselben Nacht zum College zurück, sein Manuskript im Koffer, diese Bürde, die alles andere unwichtig erscheinen ließ. Sie würde es für ihn bearbeiten und verkaufen, sie mußte dieses Manuskript zum Leben erwecken. Es war schon auf viel zu vielen Schreibtischen gelegen, war inzwischen auch für ihn nur mehr ein Packen Papier, dessen er sich anders nicht zu entledigen wußte als mit einer lächerlich theatralischen Geste, mit der er ihr dennoch die Freude am Schreiben zerstörte. Wie oft hatte sie erlebt, daß er mit einem frisch adressierten Paket am Morgen zur Post gegangen war und dann die Wochen zählte, die ohne Nachricht vergingen, seine sich steigernde Unruhe bis zu dem Vormittag, an dem er dasselbe Kuvert, das nun nicht mehr frisch und unberührt aussah, hinauf in die Wohnung trug und man ihm nicht zu nahe kommen durfte, denn an solchen Tagen standen ihm Mord und Gewalttätigkeit im Gesicht.

Ich werde das Werk, das er nicht vollenden kann, zu Ende bringen, sagte sie sich, und es muß so erfolgreich sein, daß er mich als seine Tochter anerkennt.

Sie schickte sein Manuskript unter ihrem eigenen Namen an alle, die ihr Mut gemacht und Hilfe versprochen hatten, bedrängte sie, sie müsse schnell eine Antwort haben. Es eilte ihr, er war in Lebensgefahr, und auch sie selber mußte sich von seinem Manuskript befreien, das ihr den Weg zur eigenen Arbeit versperrte.

Jedesmal, wenn es zurückkam, empfing sie es wie ein von den anderen verstoßenes Kind, das sie aufrichten mußte, ehe sie es wieder hinausschickte in die feindliche Welt.

Das letztemal hatte sie es unter Briefen und Rechnungen gefunden, nach ihrer ersten Rückkehr aus Europa, aber sie hatte es ungeöffnet zur Seite gelegt. Der Vater war in einer Schriftstellerkolonie auf Schreiburlaub, als sie Amerika verließ, er kam nicht zum Abschied, kam nicht zu ihrer Hochzeit, aber er lebte noch und schrieb weiter, er war zäher als sie.

Später werde ich wieder schreiben, sagte sie sich. Später, wenn die Kinder größer sind. Bis sie merkte, daß die Sprache sich fortstahl. Der Boden, auf dem sie hätte gedeihen sollen, blieb fremd, war zu karg für Bilder. Ich habe früher Gedichte geschrieben, sagte sie manchmal mit einem verschämten Lächeln, als gestehe sie eine Jugendtorheit, aber meist hörte ihr keiner zu.

Der Bus fuhr durch vertraute Straßen Manhattans nach Süden. Was soll ich hier, dachte Lillian, hier gibt es niemanden, den ich kenne. Aber in Brooklyn war Alans Wohnung, vielleicht war der junge Mann vom Flughafen schon dort und berichtete: Ich habe gewartet, bis niemand mehr kam, sie ist nicht mit angekommen. Dann würde sie unten am Hauseingang stehen und in die Sprechanlage rufen: Doch, ich bin angekommen. Sie hätte aus dem Bus aussteigen und die U-Bahn nehmen, sie hätte mit einem Citybus zu ihm fahren können, doch sie blieb sitzen, denn ein Traum war mehr wert als ein klägliches Ende vor einer verschlossenen Tür oder, schlimmer noch, einem abweisenden Gesicht, das sie nicht einließ, weil drinnen in der Wohnung schon eine andere war. Eine Nacht wollte sie noch warten und sich dann vorsichtig nähern, jederzeit bereit, sich zurückzuziehen und abzuwehren: Es war nicht Absicht, es war reiner Zufall, auch daß ich hier bin und auf dich warte, hat nicht das geringste mit dir zu tun, ich geh gleich wieder, du schuldest mir nichts.

Denn das war ihre erste Lektion von klein auf gewesen: Mach dich unsichtbar, geh auf Zehenspitzen, sei leise und fordere nichts, dann streicht dir der, von dem du so gern bemerkt werden möchtest, vielleicht gedankenlos und freundlich über den Kopf. Später hatte sie noch dazugelernt, daß die wirkliche Gegenwart nie so schön wie die Träume und die Erinnerungen war. Deshalb bewahrte sie sich lieber die Erinnerung an Brooklyn im Regen, die tropfenden kahlen Bäume im vergangenen Januar, das bunte Licht hinter den glasgetäfelten Haustüren, das in der Dunkelheit wie von Kirchenfenstern über den schmalen Außentreppen schwebte, während sie beide im kälter werdenden Regen auf der Promenade am East River weitergingen und davon redeten, wie es sein würde, wenn erst die Bäume Blätter trugen, die Rhododendren unter den Feuerleitern blühten und sie zusammen hinter einer der Glastüren wohnten.

Sie blieb sitzen, bis die letzte Umsteigemöglichkeit verpaßt war. Der Bus, im Stoßverkehr eingekeilt, näherte sich im Schrittempo dem Terminal. Es war Abend geworden, doch der Tag war für sie schon zu Ende, seit sie sich für den Aufschub der Wirklichkeit entschieden hatte. Seither war sie ruhig und angenehm müde, das stockende, hektische Chaos auf der Straße störte sie nicht, das ganze Leben war bis auf weiteres aufgeschoben, das Ankommen belanglos, und es machte nichts mehr, daß sie wie eine namenlose Touristin ohne Zeitsinn und Ziel durch die Stadt trieb, auf das Ende des Tages zu, weil es vorläufig kein besseres Ende gab.

Es dämmerte, als sie ausstieg, aber auf der Straße war es heller, als sie beim Hinaussehen durch die getönten Fensterscheiben vermutet hatte. Der Streifen Himmel hoch oben über der Häuserschlucht war durchsichtig grün, fast ein Frühlingshimmel, einige Häuserblocks weiter ging eine unsichtbare Sonne unter, die Brände in die oberen Etagen der Glasfronten legte. Einen Augenblick lang erinnerte sie dieser Anblick an die Firnfelder im Hochgebirge, wenn im Tal schon die Schatten lagen. An der Ecke zur Madison Avenue winkte sie ein Taxi an den Straßenrand und gab das Hotel an.

Wo kommen Sie her, fragte der Taxifahrer.

Wie meinen Sie, wo komme ich her, fragte sie verwundert zurück.

Sind Sie Französin?

Nein, sagte sie, ich habe nur viele Jahre in Europa gelebt.

Das hört man.

Es hatte ein Kompliment sein sollen. Er erzählte ihr,

wie es war, wenn er alle paar Jahre nach Hause kam, nach Puerto Rico, mit seinem New Yorker Akzent und seinen Yankee-Manieren, doch sie verstand nur die Hälfte von seinem Mischmasch aus Spanisch und gebrochenem Englisch und wußte nichts darauf zu sagen. Er schwieg gekränkt und drehte das Radio auf, lauter, vulgärer Sprechgesang drang auf sie ein, monoton, aggressiv und fremd. Er half ihr auch nicht, den Koffer aus dem Taxi auf den Gehsteig zu zerren. Vielleicht hatte sie ihm zu wenig Trinkgeld gegeben, vielleicht war er aber auch nur enttäuscht, daß sie keine Französin war, so wie sie jedesmal enttäuscht gewesen war, wenn einer, der wie ein Ausländer ausgesehen hatte, mit dem breiten kehligen Dialekt der Einheimischen zu sprechen begann.

Das Hotel in der 75. Straße war schäbig, aber es war billig, und sie hatte jedesmal hier gewohnt, wenn sie in Manhattan übernachtete, es war vertraut, fast schon ein Zuhause, mit dem Vorteil, daß hier niemand sie kannte. An so einem Ort, dachte sie, kann man mit einem »Bitte nicht stören«-Schild an der Tür für immer verschwinden, und es regt niemanden auf, keiner stellt Fragen, man legt den Paß auf das Pult der Rezeption und bekommt einen Schlüssel, schleppt den Koffer die braungetäfelten Korridore entlang bis ans Ende des dämmrigen Schachts und taucht unter wie eine Romanfigur, zu der dem Autor nichts mehr einfällt. Aber am Ende war kein Spalt zum Verschwinden, sondern ein großes Zimmer mit einem riesigen Doppelbett und einem Wandverbau von einem Ende bis zum anderen, keine Möbel, kein Bild, kein Haken, nicht einmal eine Lampe, nur eine düstere Deckenbeleuchtung.

Sie stellte den Koffer mitten im Zimmer ab und setzte sich auf den Bettrand. Das ist es von jetzt an, dachte sie, ein Leben in Hotelzimmern, immer schon mit dem Aufbruchstermin im Gästebuch, und es war nicht mehr bloß eine von vielen Möglichkeiten, die sie erwägen und verwerfen konnte, um dann an einen sicheren Ort zurückzukehren, es war vollendete Tatsache, Endgültigkeit. Dieses Zimmer war nicht vorläufiges Dach über dem Kopf für eine Nacht, es war der Ort ohne Rückkehr zu allem Früheren. Zuerst laufe ich weg, dachte sie, weil das Vertraute unerträglich ist, und dann ist draußen kein Ersatz, und ich muß immer weiterlaufen auf der Suche, bis es egal ist, wohin ich gehe, und dann werde ich einfach liegen- oder stehenbleiben, wo ich gerade bin, und denken: Die Mühe hätte ich mir sparen können.

Endstation, sagte sie laut.

Es wurde dunkel im Zimmer, die wenigen Farben zogen sich in immer tiefere Grautöne zurück. Auf ihrer Armbanduhr war es zwei Uhr zwanzig, fast halb drei Uhr früh mitteleuropäischer Zeit.

Ohne Übergang, ohne Träume, wachte Lillian auf. Sie spürte, daß es mitten in der Nacht sein mußte, die Stunden, in denen selbst Manhattan in eine kurze Erschöpfung sank. Sie schob das Fenster hoch und ließ die abgasgetränkte Hitze der Straße ein, die Leuchtreklamen vom Abend waren erloschen. Sie horchte, die Stirn am Fliegengitter, in die Dunkelheit, hörte zornige Schreie von irgendwoher, das Jaulen von Polizeisirenen in der Ferne, unten auf der Straße fiel etwas und zersplitterte. Auf ihrer Armbanduhr war es zehn.

Gestern um diese Zeit war es zehn Uhr vormittags gewesen. Die Alpengipfel, über die sie geflogen war, lagen in einer herbstlich anmutenden Klarheit unter ihr aufgefächert, die Gletscherseen in den Hochtälern leuchteten milchig grün. Wie schön das alles wäre, hatte sie gedacht, wenn ich jetzt zum erstenmal hierherkäme, statt es zum letztenmal, für immer zu verlassen.

Es war so stickig heiß, daß sie nach Atem rang. Wenn ihre Uhr auf zehn stand, war es hier jetzt vier Uhr früh, sie hatte die Zeit nicht umgestellt, als wollte sie sich einen schwachen Rest Europas konservieren, die Zeit, an der ihr Körper noch eine Weile festhalten würde. Jetzt war sie aus der Zeit gefallen, in einen Zeitspalt, sechs Stunden breit, die sie in diesem Zimmer verbringen mußte, tatenlos ihren wuchernden Zweifeln und Ängsten ausgeliefert, grotesken Nachtgewächsen, gegen die Vernunft und Zuversicht ohnmächtig waren. Nur eine menschliche Stimme hätte da geholfen, doch wen konnte sie um vier Uhr früh aus dem Schlaf läuten mit dem Hilferuf eines verängstigten Kindes, das einen Alptraum hat: Mach Licht, verscheuch die Angst, ich werde von der Hoffnungslosigkeit der Nacht verschlungen! Wer garantierte ihr, daß es noch einen Ort gab, an dem sie bleiben konnte, und ausreichende Gründe, warum sie sich dort und an keinem anderen Ort aufhielt? Was war ihr denn geblieben? Nichts. Alles hatte sie leichtfertig aufgegeben, ohne sich einer Zukunft zu versichern, bloß weil sie des jahrelangen Wartens müde gewesen war, des Wartens darauf, daß sie eines Tages schreiben würde. Lange hatte sie geglaubt, daß das wirkliche Leben irgendwo anders für sie bereitlag, und schließlich hatte sie sich nur mehr nach dem Ende des Wartens, nach Endgültigkeit, gesehnt.

Was willst du denn vom Leben? Wie oft ihr Josef diese Frage gestellt hatte und sie ihm die Antwort schuldig geblieben war!

Das ist die falsche Frage um vier Uhr früh nach dieser langen Reise, bevor ich noch richtig angekommen bin, dachte sie und wünschte sich irgendeine Sicherheit, auf die sie bauen könnte, etwas Verläßliches wie einen Alltag, Erwartungen, die sie erfüllen mußte, etwas, das sie von ihrer schrecklichen Freiheit erlöste, die ihr jetzt wie ein Sog die Welt ausleerte.

Die einzige Antwort, die ihr je zu Josefs Frage eingefallen war: Mehr Freiheit.

Wofür?

Zum Beispiel, um zu schreiben.

Dann hör doch auf zu unterrichten, hatte er gesagt. Wir brauchen deinen zusätzlichen Verdienst nicht. Nimm eine Haushaltshilfe, wir können es uns leisten.

Aber das war es nicht. Das Leben, das sie führte, dieses fest umrissene enge Leben war im Weg. Sie dachte, nur mehr die absolute Freiheit könnte ihr helfen, wie früher einzutauchen in eine Wirklichkeit, die nicht die Wirklichkeit des Alltags war. Früher, mit sechzehn, war es ihr leichtgefallen, jederzeit selbst aus den flüchtigsten, banalsten Augenblicken Inspiration zu holen, für eine Skizze, eine Geschichte oder ein Gedicht, es war ein Zustand, über den sie frei verfügte. Sie hatte einfach Worte an die Gegenstände gehalten, bis sie zündeten, und zugesehen, wie sie durchsichtig wurden, flackernd, vieldeutig. Es hatte keiner großen Vorbereitungen bedurft, der Alltag hatte ihr nie im Weg gestanden, mitten aus ihm heraus hatte sie mit wachen, geschärften Sinnen ihre Schätze geborgen, so sicher ihrer Macht, zu jeder Zeit die ganze Welt mit einem Bild, mit einem Satz in etwas nie zuvor Gedachtes zu verwandeln.

Sie konnte sich nie genau entsinnen, wann die Ohnmacht, sich der Dinge durch Sprache zu bemächtigen, begonnen hatte. Beim Umgang mit dem Manuskript ihres Vaters oder später, als die fremde Sprache im Alltag die eigene verdrängte? Erst als sie nicht mehr sicher war, was sie empfand, als sie sich selber fremd geworden war, spürte sie den Verlust. Sie hatte es Kathrin zu erklären versucht: Ich fühle mich abgeschnitten, es ist wie eine Mauer, die mich umgibt, oder ein dichter Nebel, er isoliert mich von allem, da hilft kein guter Wille, auch wenn ich mich bemühe, es ist immer da.

Und Kathrin hatte eingewandt: Du hast doch Freunde, du bist doch nicht isoliert.

Nein, nicht im Sinne einer Einsamkeit, die in allein verbrachten Stunden und Tagen meßbar ist, gab Lillian zu, aber ich bin weit weg von allem und weniger wirklich.

Du mußt dir Freiräume schaffen, die dir allein gehören, schlug Kathrin vor, wir beide müssen mehr unternehmen, nimm dir abends frei, dann gehen wir öfter ins Theater oder einfach in ein Lokal.

Das haben wir doch alles schon getan, wandte Lillian ungeduldig ein. Sie trafen sich fast jede Woche im Kaffeehaus, nur einmal hatte Kathrin sie in ihre Wohnung eingeladen, es schien, als hätte sie nie fertig ausgepackt, sondern sich mittendrin besonnen, daß dieser Ort doch nicht der endgültige war. So lebte sie seit Jahren, in einer vorläufigen Absteige, in der die Bilder noch an die Wände gelehnt standen, Polster als Sitzgelegenheiten dienten und eine große Hutschachtel als Wohnzimmertisch. Man soll nicht auswandern und es sich dann auf einmal anders überlegen, hatte Kathrin gesagt, als wolle sie damit den Zustand ihrer Wohnung erklären. Dann ist nämlich die Rückkehr bloß eine neue Form der Emigration, und seßhaft werden zahlt sich nicht mehr aus. Von da an trafen sie sich wieder wie zwei Obdachlose in Cafés, oder sie gingen am Innrain spazieren, saßen bis in den Spätherbst auf Parkbänken nebeneinander und redeten von *den Leuten*, als wären sie eine ihnen fremde Spezies. Manchmal sagte Kathrin am Ende einer solchen Unterredung, in der sie jedesmal wie unter Zwang zu ihren Lieblingsthemen, Fremdheit und Sprachverlust, zurückkehrten: Ich gehe, ich wandere wieder aus. Wohin, fragte Lillian ängstlich. Wer würde ihr die Freundin ersetzen, wenn sie ging? Sie hatte Kathrin immer im Verdacht, eines Tages ohne Abschied und ohne die geringste Reue zu verschwinden, frei wie sie war, unverheiratet, ohne Familie, mit einer Wohnung, die ihr nichts bedeutete.

Schau, so ein schöner Abend, sagte Kathrin.

Sie wandten sich auf halber Berghöhe zum Tal um, jenseits des Flusses lag die Stadt noch in der Sonne. Diesen Weg gingen sie schon seit Jahren, schon seit der Zeit, als Claudine noch im Kinderwagen saß, und jedesmal war es Lillian wie ein vergeblicher Versuch erschienen, über die Barriere der Nordkette hinweg aus der Stadt zu entrinnen. Und jedesmal wandten sie sich an derselben Stelle um und resignierten: Gehen wir zurück?

Wieder ein Frühling, hatte Lillian gedacht, der vorbeigeht, die Kinder sind zu groß, um noch mit uns zu gehen, in vier, fünf Jahren werden sie auch die Ferien nicht mehr mit mir verbringen wollen, und nach dem Frühling ein langer, leerer Sommer, Tage, einer nach dem andern, leer bis auf den Grund, und wer wird es mir sagen, wann sich das Warten nicht mehr lohnt, weil schon zu viel vom Leben vergeudet ist? War das nun schon das Leben mit seinen Stationen des Erwachsenwerdens, von denen ich nicht eine hatte versäumen wollen?

Fehlt mir die Reife, das Leben anzunehmen, wie es ist, und Unerreichbares aufzugeben, fragte sie Kathrin.

Als wir uns kennenlernten vor zehn Jahren, sagte Kathrin, hatte ich Schwierigkeiten mit meinem Chef, ich haßte meine Arbeit. Du warst es, die gesagt hat, dann mußt du etwas unternehmen, dann mußt du überlegen, wie du dort wegkommst. Ich dachte damals, typisch amerikanisch.

Lillian lachte, du meinst, ich soll was tun?

Am selben Abend schrieb sie an Lisa einen Brief, sie sei entschlossen, nach Hause zurückzukehren, zunächst für ein Jahr, um herauszufinden, ob sie noch dort leben könne. Ein Jahr erschien wie eine Ewigkeit und war doch vorläufig genug, ihr Leben nicht von neuem endgültig festzulegen. Ob ihr die Schwester helfen könne, einen Job zu finden, eine Wohnung und gute Schulen für die Kinder. Brauchst du nicht auch ein Auto, fragte Lisa in ihrem Antwortbrief sarkastisch, einen Chauffeur, ein Haus, ein Kindermädchen und einen Privatstrand auf Cape Cod?

Während der Weihnachtsferien flog sie selber hin. Sie wohnte bei der Schwester in Cambridge und verbrachte viele Tage mit Inseraten und Telefonanrufen.

Können Sie am Computer arbeiten, fragte man sie.

Natürlich nicht.

Sie sagen, Sie sprechen fließend Deutsch, beherrschen Sie Fachsprachen? Bankwesen, Industrie? Können Sie simultan dolmetschen?

Nein, noch nie versucht. Sollte sie lügen?

Natürlich, sagte Lisa, du schaffst es schon.

Sie sah sich Wohnungen an. In einer Gegend mit guten Schulen, betonte sie bei dem Makler, ich habe Kinder.

Wieviel können Sie zahlen?

Sie nannte die Wohnungspreise, die ihr aus Innsbruck geläufig waren.

Man zeigte ihr eine dunkle Souterrainwohnung, zu der eine ausgetretene Treppe hinunterführte, die sie an Burgverliese erinnerte. Die zweite Wohnung bestand aus zwei ebenerdigen Zimmern an der Durchgangsstraße, über deren niedrigen Plafond armdicke Leitungsrohre führten, die dritte war eine möblierte Garçonnière. Nach einer Woche gab sie auf. Zu einem solchen Leben bin ich noch nicht bereit, beschloß sie und kehrte entmutigt und geschlagen im Januar zurück. Nicht einmal Kathrin erzählte sie von ihrem gescheiterten Versuch, ein neues selbständiges Leben zu beginnen.

In diesem Frühling lernte sie Alan kennen. Es schien ihr, als habe sie nur auf ihn gewartet.

Von jenen Tagen Ende März blieben ihr nur wenige Stunden in klarer Erinnerung, alles andere war wie im Nebel, die Fahrt zu den Verwandten in Salzburg, der Streit mit Josef während der Fahrt. Verwandtenbesuche lösten meist Streit zwischen ihnen aus, doch diesmal war sie weniger als sonst bereit, die Rituale der

Familie zu ertragen. Erleichtert nahm sie die Einladung der Nichte, einer Musikstudentin, an, zur Probe der Matthäuspassion mitzukommen, obwohl sie sich aus sakraler Musik eigentlich nichts machte. Bereits im Auto auf der Fahrt zur Stadt atmete sie freier. Aber im Saal war sie nervös und konnte sich nicht konzentrieren; sie sah sich die Leute an und dachte schuldbewußt, sie müßte zuhören, sich entspannen, Inge würde sie fragen, wie es ihr gefallen habe, und sie wollte sich keine Blöße geben, zumal sie als Amerikanerin ohnehin immer in dem Verdacht stand, von europäischer Kultur keine Ahnung zu haben. Sie wußte nie, warum ihr etwas gefiel, sie konnte keine Kunstgespräche führen, das war ein Mangel, unter dem ihr Selbstvertrauen litt. Inge stieß sie an, schau, die dort mit den langen Haaren, die hinter den Solisten, das ist meine Freundin. Lillians suchender Blick traf sich mit einem nachdenklichen Augenpaar, das sie schon eine Weile betrachtet haben mußte, es waren dunkle, ruhige Augen, in denen eine herausfordernde ironische Distanz lag. Im Lauf des Abends kehrte sie immer wieder zu diesen Augen zurück, zu dem Gesicht, dessen Konturen ein schwarzer Bart verwischte, sie wartete auf seine Stimme bei den Soli, ein weicher Tenor, der überanstrengt klang, und darauf, daß er wieder zu ihr hinsah. Einmal glaubte sie ein schnelles Lächeln des Einverständnisses erhascht zu haben.

Am Ende mußte sie mit Inge zum Bühnenausgang, um die Freundin zu begrüßen, aber sie hielt nach dem unbekannten Sänger Ausschau und war nicht überrascht, als er sie ansprach.

Hi, ich bin Alan, und Sie?

Das erstaunte sie, der unverkennbare Akzent, *ihr* Akzent, den sie nach so vielen Jahren noch immer nicht verbergen konnte, der sie zur Fremden machte, schon nach dem ersten Satz.

Er war erleichtert. Sehr viel mehr könne er ohnehin nicht auf Deutsch, gestand er, woher sie komme?

Aus Westchester. Und er?

Aus Brooklyn.

Unbelievable, wiederholte er immer wieder, ich kann's nicht glauben. Atemlos vor Aufregung über den Zufall tauschten sie Ortsnamen aus, Straßennamen, Gebäude, Jahreszahlen, die keinem in Europa etwas bedeutet hätten. Sie spielten sie einander wie Codeworte zu, vor Eifer fielen sie einander ins Wort, Galerien in Soho, Off-Broadway-Bühnen im Village, Erinnerungen, die sich überstürzten. Dabei verlor sie jeden Zeit- und Ortssinn, die Menschen rundum wurden schemenhaft, sie starrte auf die Täfelung des Treppenhauses, ohne sie wahrzunehmen. Ein leichtes Schwindelgefühl gab ihr das unwirkliche Gefühl zu schweben, der Augenblick zerfiel ihr in zusammenhanglose Einzelheiten, das Treppengeländer, die braune Leiste der Täfelung auf halber Höhe der Wand, sein weißer Rollkragenpullover unter dem dunklen Jackett, seine auffallend kleine Hand, die sich am Geländer festhielt, sein konzentrierter Blick, mit dem er sie betrachtete, als dächte er über etwas nach und hörte ihr nur halb zu. Bald standen sie allein, niemand kam mehr die Treppe herunter, und oben wurden die Lichter ausgemacht. Noch nicht, dachte sie und redete noch schneller, es blieb noch so viel zu sagen, sie fühlte den Drang, ihm anzuvertrauen, wie fremd sie sich fühlte, wie sie das Englische vermisse, wie sein

Erscheinen einem Wunder glich. Sie verstummte und wich, plötzlich verlegen, seinem Blick aus.

Wann fliegen Sie zurück, fragte sie.

Anfang April.

Schade, sagte sie enttäuscht.

Man schloß die Türen ab. Inge war verschwunden. *Well*, sagte er und hob bedauernd die Schulter. *Nice meeting you, see you again.*

Wann? wollte sie rufen, wo? Zum erstenmal fiel ihr die Unverbindlichkeit dieser Abschiedsfloskel auf, sie klang wie Hohn, doch Lillian hatte nicht den Mut, auf ihrem Wortsinn zu bestehen.

Hast du gesehen, wie der dich angesehen hat, fragte Inge im Auto auf der Heimfahrt, ich wette, von dem hörst du noch.

Aber er weiß ja gar nicht, wer ich bin, gab Lillian erschöpft und kleinlaut zu bedenken.

Er kann ja meine Freundin fragen.

Möglich, sagte Lillian und versuchte, gleichgültig zu klingen und sich zu überzeugen, daß nichts geschehen war, ein zufälliges Gespräch, sonst nichts, nicht einmal die Andeutung eines Versprechens, nicht wert, einen Gedanken darüber zu verlieren. Kann er was, fragte sie Inge, als Sänger?

Er steht noch ganz am Anfang, erklärte Inge abwesend, wenn überhaupt.

Als sie zum Haus der Tante zurückkamen, waren die Kinder schon zu Bett gegangen. Nur Josef, eine Kusine und der Schwager saßen noch im Wohnzimmer. Lillian wagte nicht, Josef anzusehen, sie fürchtete, er würde ihr gleich anmerken, was mit ihr geschehen war, jede Bewegung würde sie verraten, in ihrer Stimme lag ein fremder Klang, sogar ihr Schweigen zitterte von heftiger Erregung. Doch er bemerkte nichts. Während sie still und abwesend bei den anderen saß, ging sie noch einmal jedem Satz nach, an den sie sich erinnern konnte, wog jeden Blick ab, irrte sie? Nein, dachte sie erschrocken, es war nichts. *Nice meeting you*, das war's für ihn, sinnlos, sich hineinzusteigern in etwas, das nichts zu bedeuten hatte. Doch es gelang ihr nicht, die hartnäckigen Bilder und Sätze von sich zu schieben, sie nahm sie wie Schätze mit in den Schlaf und wachte mit ihnen auf, sah keine Möglichkeit, ihnen zu entrinnen, bis sie sich gegen Mittag entschlossen zum Postamt aufmachte, um seine Spur zu verfolgen. Schließlich bestätigte man ihr an einer Hotelrezeption: Ja, der wohnt hier, soll ich verbinden?

Nein, rief sie entsetzt und hängte schnell den Hörer ein.

Als sie nach Hause kam, empfing die Tante sie mit einem Zettel: Jemand hat angerufen, ein Verwandter von dir?

Ein Bekannter, sagte Lillian und nahm schnell den Zettel an sich. Nicht denken, befahl sie sich unterwegs, sonst kriege ich Angst. Morgen fahren wir nach Hause. Wenn ich nicht hingehe, dann sehe ich ihn nie wieder, dann war es wirklich nichts, ein unbedeutender Zufall. Aber es war kein Zufall, es durfte keiner sein, und schnell, bevor sie wieder denken konnte, bevor sie zur Vernunft kam, mußte sie handeln, blind, weil sie zu viel, nein, weil sie nichts zu verlieren hatte. Kühl fragte sie nach seiner Zimmernummer. Er öffnete, war nicht einmal erstaunt: Ich wußte, daß du kommen würdest.

Wie oft hast du mit ihm geschlafen, fragte Josef, Monate später, als er davon erfuhr.

Zweimal… Das erstemal in Salzburg.

Zweimal, und du glaubst, du kennst ihn?

Du hast mir nach dem zweiten Mal schon einen Heiratsantrag gemacht.

Das war was anderes, widersprach Josef, wir waren ja die ganze Zeit zusammen.

Damals, im Hotel in Salzburg, hatte sie zu Alan gesagt: Du bist mir so vertraut, deine Stimme, dein Akzent, jede Bewegung, alles an dir ist wie eine Erinnerung an zu Hause. Diese Vertrautheit war es vor allem, an die sie später denken mußte, wie übergangslos und leicht sie reden konnten, und mit derselben spannungslosen Selbstverständlichkeit konnten sie schweigen, sie hatte nichts erklären müssen, es schien, als ob sie beide spürten, was der andere dachte. Er deutete ihr Schweigen richtig und hörte hinter ihren Sätzen Worte, die sie verschwieg. Sie konnte nicht genug bekommen von seinen Geständnissen, mit denen er ihr die Liebe in die eigene Sprache übersetzte, zum erstenmal nach so vielen Jahren, es kam ihr gar nicht in den Sinn, daß er auch lügen konnte, wie hätte sie ihm mißtrauen sollen, wie auf der Hut sein, wenn die Berührungen nur Fortsetzung der Worte waren und es keine Pausen zwischen ihnen gab, in denen sie einander in unwegsame Unverständlichkeit entglitten?

Alles an dieser Liebe ist so klar und einfach, dachte sie, daß auch das Ende, wenn es einmal da ist, eindeutig sein wird, ohne die letzte, unsichere Spur von Hoffnung oder Zweifel, die mich an Josef bindet.

Auf der Heimfahrt am nächsten Tag nahm sie weder die Landschaft wahr, noch war sie zu zusammenhängenden Gedanken fähig. Wie konnte Josef die

Erschütterung nicht spüren, die so gefährlich und so überwältigend war, daß sie sie fast verschlang?

Sie ging seit gestern, nein, seit vorgestern abend auf diesem unbenennbar Neuen wie auf dünnem Eis, und es war unvermeidlich, daß sie schließlich einbrach, und Josef redete von den Verwandten und deren Sorgen, von seinen Plänen, die anscheinend auch die ihren waren, so sorglos, als wäre nichts geschehen. Sie schämte sich, daß er so arglos war.

So sicher war sie seiner gewesen, daß sie alle Warnungen ignoriert hatte, die kühlen, distanzierten Briefe, die langen Abstände dazwischen, die selten gewordenen Anrufe, unzählige Stunden des Wartens, was waren die wenigen gleichgültigen Zeilen und Sätze gegen diese Qualen? Jetzt stand sie ausgesetzt auf ihrem vorgeschobenen Zeitplateau, um vier Uhr früh in dieser schlafenden Großstadt und war von allen Selbstbeschwichtigungen und Illusionen abgeschnitten. Sie konnte jetzt mit einer solchen Klarheit sehen, daß sie Entsetzen packte: Es hätte nach jenem Nachmittag in Salzburg nicht weitergehen dürfen. Alles, was später kam, war mit ihren widerstreitenden Gefühlen befrachtet und unklar – nichts war mehr eindeutig seither.

Er kam nach Innsbruck, war schon auf der Heimreise, und brachte Unrast mit und Pläne, die sie nicht betrafen. Für sie begannen die Heimlichkeiten und das Lügen, verstohlene Zusammenkünfte, die mit dem Hautgout zwanghafter, ehebrecherischer Hörigkeit behaftet waren. Ein einziges Mal nur besuchte sie ihn auf seinem Zimmer, stahl sich vorbei am undurchdringlichen Gesicht, den neugierigen Augen der Wirtin und kam sich schäbig vor. Die Angst, es könnte jemand an der Tür sie belauschen, lähmte sie, das Bett knarrte und stieß bei jeder Bewegung an die Wand. Beschämt verließ sie die Pension.

In ihren Erinnerungen bestanden die Tage im Frühling aus mehr Angst, Unsicherheit und Warten als aus Glück. Es war die Angst, entdeckt zu werden, die Furcht, daß Josef ihr die Heimlichkeiten ansah und daß sie Alan zu langweilen beginne. Sie trafen sich nie länger als für ein paar Stunden, am Vormittag, am Abend, je nach der Lüge, die sie erfunden hatte. Dazwischen vergingen kostbare Stunden und Tage ungenutzt. Der Druck des stundenlangen Wartens war so groß, daß er die ersten Minuten jedes Wiedersehens zerstörte. Es war, als hätte die aufgestaute Sehnsucht einen verhaltenen Groll erzeugt, der sich in kleinen Bosheiten Luft machen mußte, in einer absichtsvollen Distanziertheit, die verletzte.

Nichts war mehr eindeutig. Sie konnte, wenn sie es versuchte, sich an die Augenblicke reinen Glücks erinnern, es gab sie, aber an jedem hing ein Schatten, und mancher Schatten überwog das Glück. Sie hatte seither viel Zeit gehabt, die schönen Augenblicke herauszuschälen aus der Langeweile, die selbst in diesen wenigen Stunden aufgekommen war, der zeitweiligen Ferne, wenn sie ihn von der Seite ansah, was denkst du, und er sagte: nichts. Und aus den Erinnerungen, die sie schmerzten und empörten, so daß sie sich schnell zwingen mußte, wegzusehen, nicht daran zu denken. Sie zählte jeden Kuß und jede Zärtlichkeit, jede Umarmung. Am glücklichsten war sie weitab von den belebten Straßen, irgendwo an einem uneingesehenen Platz, immer waren sie auf der Flucht vor

Schritten, Stimmen. Im Schutz der Trennung, die nahe und endgültig bevorstand, waren ihnen unwiederholbare Beteuerungen gelungen, Sätze, die nicht wahr sein mußten, sondern unvergeßlich, Sätze, die nichts anderes leisten mußten, als vorzutäuschen, daß alles Frühere ungültig war und nichts Bedeutendes mehr folgen konnte. Sie hatten einander nie gefragt: Sagst du die Wahrheit? Fragte man denn ein Gedicht, ein Liebeslied, ob es die Wahrheit sagte? Erst als er fort war, fand sie seine Beteuerungen und Versprechen wie vergessene Gegenstände, die einem nichts mehr bedeuten, über die ganze Stadt verstreut, banale Sätze, bei Vernunft betrachtet, zu peinlich, um sie sich zu wiederholen. Sie mußte Zeugin werden, wie sie in seiner Abwesenheit ihren Ewigkeitsgehalt verloren und zur Schwärmerei verkamen. Sie mußte täglich zusehen, wie die Erinnerungen alterten und vom zu häufigen Betrachten an Leuchtkraft verloren.

Da gab es einen Baum in einem Park, an dessen Verwandlungen sie die Zeit maß, die vergangen war. Damals war er noch kahl gewesen, mit einem flüchtigen Flirren von Grün um die Zweige, das mit der Sonne auftrat und verschwand, ein Baum wie jeder andere. Dort hatte sie von ihrer Sehnsucht nach zu Hause und ihrer Hoffnung, eines Tages zurückzugreifen auf ihre frühere Begabung, gesprochen und ihm erklärt, wie alles das mit ihm zusammenhing, denn er sei aufgetaucht wie ein Versprechen, wie ein ihr zugewandter Spiegel, in dem sie finden könne, was sie für sich schon aufgegeben habe. Er verstand sie nicht, vielleicht war er nie lange genug von zu Hause fortgewesen, um ihre Not zu sehen, ihr Verlangen, ihn zu besitzen, wie man einen Ort der Zugehörigkeit besitzen muß, um zu leben. Er glaubte, sie schwärme in der blumigen Sprache der Verliebten und forderte ihn auf, sie noch zu übertreffen.

Die sichere Vertrautheit in der Sprache, auch in der Körpersprache, die es beim erstenmal gegeben hatte, ließ sich in der Vollkommenheit von damals nie mehr wiederholen. Es blieben Augenblicke der Nähe, Splitter einer Ahnung, was der andere fühlte, wie flüchtige Schauer auf der Haut, ein Blick des Einverständnisses, ein fremder Herzschlag, der durch die Kleider fühlbar wurde.

Sie waren sich ihres Anspruchs, die Tragödie einer unmöglichen, unerlaubten Liebe zu erleiden, stets bewußt gewesen, vielleicht war es das mehr als alle anderen Gründe, was ihre Leidenschaft nach jedem Überdruß rasch neu belebte. Natürlich hatten sie auch nicht den Mond verschont. In Lillians Auto hatten sie den Kirchenglocken zugehört – das werde ich in Amerika vermissen, hatte er beteuert – und während sie warteten, daß sie verklangen, erschien der Mond über den Dächern, als wäre er es ihnen schuldig. Der Vollmond, hatte sie gesagt. Nein, hatte er widersprochen, er ist noch nicht voll, wenn er voll sein wird, bin ich schon wieder weit weg, auf der anderen Seite des Atlantiks. Der Vollmond stand ihr seither für den Verlust und jede andere Phase für schmerzhafte Erinnerung. Nun hatte auch der Vollmond ausgedient. Alles von damals war überholt und klang nach Übertreibung. Die Wahrheit war: Es lag ihm nicht daran, sie wiederzusehen. Sie hatte ein Symbol aus ihm gemacht, sie hatte ihn so oft verwandelt, daß sie sich selber schwertat, ihr Bild von ihm an der Erinnerung zu messen. Die Wahrheit ist, dachte sie jetzt, daß ich seit jenem Nachmittag in Salzburg seiner nicht mehr sicher war, ich weiß nicht, wer er ist, warum ich ausgerechnet ihn dazu erwählt habe, mein Leben zu verändern. Außer vielleicht, daß es gerade seine halbherzig erwiderte Liebe war, die ihrer Phantasie Spielraum gegeben hatte, die Wirklichkeit skrupellos umzulügen.

Aber der letzte Abend konnte doch nicht bloße Illusion gewesen sein. Sie hätte es niemandem erklären können, was diesem letzten Abend eine so große Bedeutung für sie gab. Er hatte für sie gesungen. Im leeren, schwach vom grauen Licht eines verregneten Nachmittags erhellten Frühstückszimmer hatte er Lieder für sie gesungen, Schubert, Schumann, englische Liebeslieder. Natürlich liebte sie seine Stimme, kritiklos, bedingungslos, wie sie ihn liebte. Aber das war es nicht. Was sie erschüttert hatte, war nicht seine Stimme oder was er sang, es hatte nicht einmal mit ihm zu tun. Wenn alles, was er jemals gesagt oder geschrieben hatte, ein jedes Wort von Anfang bis zum Ende Lüge war, wenn nichts blieb als sein Schweigen, wenn alles eingetreten war, was sie befürchtete, und alles Frühere getötet hätte, selbst ihre Liebe – sogar wenn sie seine Stimme vergessen hätte und den Text der Lieder, dieser Abend würde übrigbleiben, weil sie an ihm für einen Augenblick ihren Weg vor sich sah.

Als er am Klavier saß, hatte sie ihn betrachtet und zugesehen, wie er sie vergaß, wie er ihr Liebeslieder vorsang und sie nicht meinte, wie er sie verließ und sie als Gegenstand der Inspiration benutzte, über den er sich erhob, sie war der Rohstoff, den er als Anstoß brauchte, bestenfalls ein Publikum. Eigentlich war es eine Beleidigung gewesen, ein kalter Abschied, der sie jedoch entflammte wie keine Zärtlichkeit zuvor. Sie glaubte sich selber in ihm zu sehen, in seiner Skrupellosigkeit, mit der er sie benutzte, in seiner Kälte, mit der er sie verließ, in der Schamlosigkeit, mit der er ohne Demut in Besitz nahm, was sie gegeben hatte.

So, dachte sie, mußte man leben, um nicht vom Alltag eines Durchschnittslebens unterjocht zu werden, von Pflichtbewußtsein, Skrupel, Ängstlichkeit. Sie war von seinem Hochmut geblendet und liebte ihn, auch wenn sie ihn deswegen nie ganz besitzen würde, sie sah es deutlicher als in den Monaten danach, sie würde ihn nie haben können, doch entfesselte das erst ihre Leidenschaft. Das ist es, was ihn ausmacht, dachte sie, und das verbindet uns, und keine Trennung kann diese Komplizenschaft mehr tilgen. Durch dich war es mir möglich, zum erstenmal mich selber unverstellt zu sehen, schrieb sie ihm in ihrem ersten Brief, ich hätte mich vorher geschämt, mich so zu sehen, für eine Frau ist Rücksichtnahme angebracht, Liebe und Selbstaufgabe, doch als ich dich erkannte als mein Spiegelbild, kam mir der Mut, mich anzunehmen: Jetzt weiß ich, daß auch ich so leben darf, ganz auf mich selbst und meine Kunst bezogen.

Er verstand sie nicht. Erklär mir deutlicher, was du gemeint hast, schrieb er.

Sie führte ihre Gedanken weiter aus, überzeugt, sich selber nun durchschaut zu haben bis auf ihr letztes beschämendes Geheimnis, ihre Briefe uferten zu langen Monologen aus. Ganze Abende saß sie auf der Veranda und schrieb seitenlange Briefe, mit einer besessenen Selbstvergessenheit, die an Wahnsinn grenzte. Wir sind uns ähnlich wie zwei einander zugewandte Spiegel, schrieb sie, Menschen wie wir leiden an der Wirklichkeit. Und: Leiden ist die Kluft zwischen Realität und Traum. In ihrem Taumel wurde sie kühn, die Sätze flogen ihr zu, schwer von trunkenen Bildern, füllten ihr die entleerte Welt, die wahrzunehmen sie sich weigerte, und wiesen ihr einen vornehmen Platz zu, der ihr gefiel, ein Selbstentwurf, zum erstenmal seit vielen Jahren, und es gab niemanden, der ihr widersprach.

Ich bin mir nicht sicher, daß ich verstehe, was du meinst, schrieb er in einem seiner knappen Aerogramme, ich weiß nicht, was Kunst für dich bedeutet. Für mich ist es das Publikum, das mich begeistert, oder ein Lied, eine Arie, das Glück, daß ich es singen kann, ich kann noch immer nicht verstehen, was du mit Hochmut, was du mit Benützen meinst.

Josef fing einen seiner Briefe ab und stellte sie zur Rede. Er inspiriert mich, sagte Lillian trotzig, er macht mich wirklich.

Sie legte ihren Briefen auch Gedichte bei, ein zaghafter Neuanfang nach fünfzehn Jahren, ein hilfloser, ungeübter Sprung aus dem nüchternen Geschäft des Erwachsenseins, das sie so lange pflichtbewußt betrieben hatte.

Du steckst voll in der Pubertät, erklärte Josef mit bitterem Sarkasmus.

Sie schrieb mit einer Hast, einer Verzweiflung, als könnte sie ihre Befreiung herbeischreiben. Es fiel ihr gar nicht auf, wie nüchtern seine Antwortbriefe waren, daß er nur von sich selber berichtete, von seinen kleinen Alltagssorgen, ein Rohrbruch in der Wohnung, ein Abend – er sagte nicht, mit wem – in einem neueröffneten thailändischen Restaurant, kein

Wort von ihr und ihren Monologen über Fremdheit, Ferne, Sprache, Kunst.

Wenn sie von ihrem blauen Luftpostpapier aufblickte, sah sie die jungen Paare mit Kinderwagen und Kleinkindern vorbeigehen auf ihren Frühlingsspaziergängen durch die Siedlungen. Sie dachte ohne Reue, daß dieses Leben nie ihres gewesen sei, dieses Sich-Bescheiden mit einem engen Lebenskreis. Es war nichts als ein verhängnisvoller Irrtum von Anfang an. Sie stellte zwischen ihrer neu entfachten Sehnsucht zu schreiben und Alan eine Art magische Beziehung her, als könnte er ihr Garant sein für ein Gelingen oder zumindest der Anstoß, den sie brauchte, um zu beginnen, die Gewähr, daß fünfzehn Jahre reversibel seien.

So hatte sie es sich vorgestellt: Er würde in diesem Sommer nach Europa kommen, und sie würden zusammen reisen, übernächtigt von Ort zu Ort, ohne genaues Ziel; sie würden reisen um des Reisens willen bis zur Erschöpfung, bis zum Delirium. Es würde zugleich ihr Abschied von Europa sein, mit dieser Reise wollte sie die fünfzehn Jahre davor ungültig machen, so daß sie blind, von früheren Bindungen befreit, zurückgehen konnte zu der Zeit, als sich die Welt hatte verwandeln lassen in ein Gedicht, in eine Geschichte. In den vier Sommerwochen, die er ihr versprochen hatte, mußte sie ihren Ausbruch inszenieren, ein tollkühner Coup mußte gelingen, vier Wochen, um ein Leben nachzuholen und Erinnerungen einzusammeln für viele Jahre danach. Dann, später, wenn er sie verließ, was unvermeidlich war, würde sie zur Ruhe kommen können, sich mit Erfahrungen und Bildern irgendwo verkriechen wie mit einem geraubten Schatz und glücklich davorsitzen, vor einem Berg von schillernden Erlebnissplittern, Erinnerungsvorrat für eine lange Zeit des Schreibens. Dann war es keine Überlebensfrage mehr, ob er noch da war; sie würde ihn dann anders besitzen, in der gemeinsamen Vergangenheit, sie würde ihn verwandeln, ihn unkenntlich machen, so daß er selber sich nicht mehr finden würde. Und ein, zwei Jahre später würde sie ihn enthüllen, verborgen zwischen Zeilen, entstellt zu seinem Vorteil, sein Brustkorb Resonanzraum für ihre Verse, nächtliche Teiche ertrunkener Versprechen seine Augen, sein Schatten würde bei Sonnenuntergang ganze Landschaften verdunkeln, sein Haar ein schwarzer Strick, an dem sie ohne Reue die Liebe erhängen konnte, denn auch sie war nur Mittel, um dahin zu gelangen, wo sie, ohne Gewöhnung und Überdruß, von nun an leben wollte.

Deshalb steigerte sich ihre Panik in diesem Frühjahr mit jeder Woche ohne eine Nachricht von ihm, mit jedem Brief, der nicht vor Sehnsucht brannte. Sie spürte, daß sie selber schon ohne Umkehr unterwegs war zu etwas, das sie nicht genau benennen konnte, und sie hatte Angst, ganz allein unterwegs zu sein. Sie brauchte ihn als Anstoß und als Weggefährten, sie brauchte ihn als Spiegel und als Halt, um an sich selber festzuhalten. Wie sollte sie sonst die Lähmung überwinden, die sie von Jahr zu Jahr tiefer ins Bodenlose zog, mit der Gewißheit, daß sie täglich ein neues Stück von sich verlor, bis sie taub und fast schon bewußtlos verschwinden würde, als löste sie sich im Landregen der milden Frühlingstage auf und würde von der Erde aufgesogen. Es mußte eine starke Kraft sein, die sie aufhob, ein Zwang, unentrinnbar, aus dem ihr die Vernunft nicht mehr entkommen half.

Ein Wiederholungszwang bemächtigte sich ihrer, ein magischer Glauben an die Ähnlichkeit der Fälle. Sie wollte ihre allererste Liebe vor siebzehn Jahren wiederholen, um an den Anfang zu gelangen, sie wollte alles Spätere ungeschehen machen. Sie wollte die Heftigkeit, die sie damals erschüttert hatte, spüren und die Gewißheit, daß niemals Dagewesenes geschah, sie wollte selbst die völlige Trostlosigkeit am Ende um den Preis der Überwältigung, die dann hereingebrochen war, mit ungeahnten Bildern, Sätzen und Metaphern, um den Preis des Rauschzustands, der ihr alles eben Verlorene wiederschenkte, damit sie es aufheben und als ihr Eigentum bergen konnte. Was war die Wirklichkeit verglichen mit der Lust, mit der sie das Erlebte in Bildern verdichten und dabei vernichten konnte. An den Mann von damals konnte sie sich nur bruchstückhaft erinnern, außer, daß er so alt gewesen war wie Alan jetzt, an sein Profil vielleicht am ersten Abend, an einen Blick, an seine Art zu gehen. Die Heftigkeit, mit der sie geliebt hatte, war vergessen, aber die Atemlosigkeit, mit der sie geschrieben hatte, wie beim Diktat eines ungeduldigen Lehrers, war im Gedächtnis wie am Tag danach. Um dieses Aufbruchs willen war kein Preis zu hoch, denn er versprach nichts weniger als die Rechtfertigung ihres ganzen Lebens, etwas, das neu war und nur ihr gehörte, das sie der Welt hinzugefügt, geschaffen hatte.

Ja, ich benütze ihn, hatte sie gedacht, ich nehme mir das Recht, weil ich ihn liebe, auch er benützt mich, und es ist mir recht.

Aber er hatte sich mit einer knappen Botschaft auf einer Postkarte entzogen: Ich kann in diesem Sommer nicht nach Europa kommen, ich bin bei Freunden in

Los Angeles eingeladen, und im August bin ich beim Sommertheater in Chatham engagiert.

Und nun, auf sich allein gestellt, sollte sie resignieren? Hatte sie nicht schon lange genug gewartet? So lang, daß die früher geschmeidigen, leicht verfügbaren Wörter ihrer Sprache zu Schemen einer fernen Vergangenheit zu verblassen drohten, während gleichzeitig die Dinge rundum ihr Interesse nicht mehr zu entfesseln vermochten. Nichts war ihr am Ende geblieben als der Alltag und seine unbedeutenden Sätze, vorgefertigt und spröd in ihrem Mund, nie ganz ihr Eigentum, Kennkarten höchstens, die man den anderen zur Verständigung hinhielt. Und auf den Gegenständen eine Kälte, wie von einer Eisschicht, in den Gliedern Fühllosigkeit, eine Schwerfälligkeit der Gedanken und eine Gleichgültigkeit, die sie von allem trennte.

Wenn sie nachts wach lag, überkam sie Panik, jetzt war es zu spät, die Sprache verödet, daß sie nicht einmal nackte Fakten mehr festhalten konnte, ein Baum nichts als ein Baum, es gab nichts hinzuzufügen, und sie selber so nüchtern, daß sie nichts mehr wahrnahm als undurchdringliche Oberflächen mit stumpfen Farben.

Seither hatte sie auch diesen letzten reizlosen Besitz hinter sich gelassen, im Verlust erst wurde er kostbar, immerhin Lebensjahre, mit Erfahrung gefüllt, ein Platz, an dem sie irgendwie sinnvoll gewesen wäre, schon allein in den Augen der anderen. Nie hatte sie gedacht, daß diese fünfzehn Jahre ihr so sehr fehlen würden: ein großes Stück von ihrem Leben, ein für allemal gelebt und nie mehr wiederholbar, und auch nicht auszulöschen, ein Stück wie ausgehöhlt von einem Meteor, ein Bombentrichter, in den sie in jedem

Augenblick des Innehaltens zu fallen drohte, denn was noch übrigblieb, war nur ein Rand, der ständig nachgab.

Und nun, im Hotel um vier Uhr morgens, in die Schlaflosigkeit verstoßen, gekennzeichnet als nicht dazugehörig auch hier, erschien ihr das zurückgelassene Leben als das einzige, was sie sicher besessen hatte, während lautlos und ohne Gewalt, mit ihr als einziger Zeugin, die Entleerung der Welt voranschritt, ein Schauspiel für sie allein, denn die Leerstelle in der Welt, aus der das Leben entwich, war sie selber, es rührte sich nichts mehr in ihr als eine gedämpfte Verzweiflung. Aufrecht und starr stand sie als Zeugin da, die Stirn am Maschendraht, die kalten Füße wie angewachsen, sogar der Schmerz sträubte sich gegen sie.

Von ihrem Standort aus sah Lillian die gegenüberliegende Fassade aus hellem Sandstein, große, regelmäßige Fenster, in denen noch die Nacht lag. Wenn sie die Stirn ans Fliegengitter legte, erkannte sie gerade noch den schattigen Gehsteig, dunkel, als hätte es geregnet. Autos fuhren an, von ferne hörte sie bei hochgeschobenem Fenster die hastigen Geräusche des Erwachens, als hätte der Tag die Schläfer allzu unerwartet überrascht. Mußte sie ausgerechnet hier den lange nicht geübten, abrupten Einsatz in den Rhythmus amerikanischen Großstadtlebens finden, nicht mehr bloß zusehen, sondern im gleichen Tempo mittun? Doch wann sollte sie damit beginnen, wenn niemand da war, der ihr den Wink gab, daß es an der Zeit war, und wo? Angesichts der schmutziggelben Hausfront, die den Himmel und die Stadt verdeckte? Nicht jetzt, nicht hier, dachte sie ängstlich, das war nicht der Ort, lieber woanders, und vielleicht ein wenig später.

Und auch nicht ganz allein, sagte sie sich, lieber später, mit Lisas Hilfe. Auf Lisa mußte sie noch eine Weile warten, die lag noch schlafend in ihrem kleinen Apartment in Cambridge, und wenn sie, wie so oft, verkühlt war, schnarchte sie jetzt, oder sie war nicht allein. Sie jedenfalls würde sich freuen, ein Telefonanruf war ihr stets willkommen, beim Kochen, auch beim Essen oder Baden. Telefonieren war Lisas Stärke, da war sie überzeugend, ihre dunkle Stimme konnte zu allem überreden, alles mögliche versprechen, das sie nie halten konnte, aber man glaubte ihr trotzdem, weil alle Katastrophen, mit ihr am Telefon besprochen, zu einem guten Ende führen mußten, weil alle Probleme lösbar waren – dafür schien sie zu bürgen. Und wenn sie am Telefon nicht überzeugen konnte, sagte sie, setz dich in dein Auto, in den Zug, in die Subway und komm her. Aber das war nicht ratsam, denn dann saß sie selber ratlos und ein wenig formlos da, und es fiel ihr nichts ein als: Kopf hoch!

Meine Schwester, hatte sie Josef anfangs erklärt, ist das Gegenteil von mir, eigensinnig, nie unvernünftig, immer realistisch. Wenn's drauf ankommt, geh ich unter, und sie kommt durch.

Als Kinder hatten sie sich oft gestritten. Lillian war gern allein, die Schwester störte. Lillian wollte sich verkriechen, um zu lesen, im Sommer saß sie mit einem Buch auf der Feuerleiter vor dem Küchenfenster, und Lisa klopfte an die Scheibe: Komm, spiel mit mir!

Lisa war wie ein kleiner bissiger Hund, der vergeblich Wärme suchte, gestreichelt werden wollte und nie gelernt hatte, anders als durch Knurren und Umsichbeißen Aufmerksamkeit zu erheischen. Beim Tod der Mutter war sie erst ein Jahr alt gewesen, und Bessie hatte keine Wärme mehr, nur Strenge und Ehrgeiz, der an Lisa versagte. Sie zog Lillian, die Ältere, vor, die ihrer Tochter ähnlich sah und folgsam war, frühreif, begabt.

Sie lernten sich erst später kennen, als sie erwachsen waren, von zu Hause fort, und jetzt, nach dreißig Jahren, war es Lillian, die sich an Lisa hängte: Ich wage diesen Sprung ins Ungewisse nicht, in dieses Land, von dem ich schon so lange fort bin, daß mir alles fremd geworden ist und ich niemanden mehr habe außer dir. Auch Alan hatte sie Lisa anempfohlen, daß sie sich seiner annehme, ihn ein wenig überwache, ihn aushorche, was er über Lillian denke. Er habe sie angerufen, berichtete Lisa, er habe sehr angeregt und eifrig am Telefon geklungen, nur, ein wenig jung, ein wenig unreif sei er ihr erschienen.

An ihrem ersten Eindruck änderte auch ein Zusammentreffen mit ihm nichts. Unreif und charakterlos, stellte sie fest, er tut nur, was ihm paßt, verlassen kannst du dich niemals auf ihn. Was siehst du in ihm? fragte sie. Und Lillian wußte keine Antwort, die vor Lisas Pragmatismus hätte bestehen können. Ja, hübsch ist er, lenkte Lisa ein, was noch? Und jung. Das ist zu deinem Nachteil. Treu wird er nie sein, schon gar nicht dir, wenn du sechstausend Meilen von ihm entfernt lebst.

Hat er eine neue Freundin, fragte Lillian bang.

Eine? Lisa lachte, er ist wie ein Teenager, er kann sich nicht entscheiden, heut geht er mit der einen ins Kino, morgen mit einer anderen ins Konzert.

Dann ist es nicht so schlimm, Lillian war erleichtert,

und außerdem waren die Ferngespräche, die sie mit der Schwester führte, bloß um herauszufinden, warum er ihr nicht schrieb, viel zu teuer, um lange Überlegungen anzustellen.

Aber beim nächsten Anruf fing Lisa wieder an: Was siehst du bloß in ihm?

Lillian war den Tränen nah, was treibt er denn schon wieder?

Weißt du, gab Lisa zu bedenken, ihr seid euch überhaupt nicht ähnlich, es gibt nicht die geringste Gemeinsamkeit zwischen euch, da ist nicht nur der Altersunterschied, er weiß auch nichts von dir, es interessiert ihn gar nicht, wer du bist.

Doch Lillian hörte aus Lisas Worten nur heraus, daß er noch nicht im Begriff war, sie zu verlassen, und sie war beruhigt. Sie war sogar erleichtert, daß ihre Schwester so wenig Gutes an ihm fand, so hatte sie keinen Grund zur Eifersucht.

Dann lud er Lisa zu einem Liederabend, bei dem er mitwirkte, in Boston ein, und nun verstand sie, daß sie ihre Schwester nicht überzeugen konnte. Wenn Lillian von der Idee der Kunst besessen war, hatte sie, Lisa, schon als Kind umsonst nach ihr gerufen. In einen Sänger also hast Du Dich verliebt, spottete sie in dem Brief, den sie daraufhin schrieb, in eine Stimme, die seinem Ehrgeiz nicht gewachsen ist, aber er ist ein Künstler, das ist Dir wichtig. Da habt Ihr also doch etwas gemeinsam, die Überschätzung Eurer eigenen Begabung. Für diesen Brief entschuldigte sie sich telefonisch: Es war ein alter Groll aus unserer Kindheit, verzeih!

Von da an redete sie Lillian nicht mehr zu, ihn zu vergessen, sie sagte nicht mehr, du bist zu schade für ihn, so einen kriegst du allemal. Sie erzählte ihr nurmehr, daß sie ihn gesehen hätte, daß sie über sie, Lillian, gesprochen hätten und er noch immer ganz hingerissen von ihr sei, daß er sich vor Sehnsucht verzehre, und daß er davon rede, im Sommer mit ihr durch Europa zu reisen.

Lillian traute der Schwester nicht so recht. Verschwieg sie etwas, um sie zu schonen? Wußte sie Dinge, die sie ihr vorenthielt?

Warum schreibt er nicht, rief sie verzweifelt, um das Rauschen einer schlechten Telefonverbindung zu übertönen.

So ist er eben, sagte Lisa, und Lillian glaubte eine Spur Genugtuung, einen Beiklang von Schadenfreude herauszuhören. Lisa gewann Macht über ihre gescheite, unnahbare Schwester, sie konnte es sich leisten, ihr gute Ratschläge zu geben, sie zu tadeln, sie mit Andeutungen zu quälen, schon ihre Stimme am Telefon versetzte Lillian in Aufregung. Dann kam es vor, daß Lisa bedeutsam schwieg und Lillian auf die Folter spannte mit einer Frage wie: Was möchtest du hören? Sie nahm sich Zeit für dieses Spiel und schien es zu genießen, als habe sie ein Leben lang darauf gewartet, die Stärkere zu sein, auf deren Wort man hören mußte.

Du hast einen Riesenblödsinn gemacht, begann sie einmal, als Lillian sie weckte mit der Frage: Ist es jetzt aus?

Sie hatte ihm in ihrer Qual des Wartens, die sie nicht mehr ertragen konnte, einen Brief geschrieben: Es ist aus, ich kann nicht mehr, ich will nicht irgendwer in Deinem Leben, ich will alles sein. Wenn das nicht möglich ist, dann will ich Dich vergessen.

Er ist sehr wütend auf dich, belehrte Lisa sie, sofort hellwach, er kam zu mir ins Büro und war ganz aufgeregt, du hättest ihm die Parodie eines Abschiedsbriefs geschrieben, er wisse nicht, warum, glaub mir, er war so verstört, er hat mir leid getan.

Lillian war zerknirscht.

Aber, rief Lisa aufmunternd, ich habe ihn schon hingekriegt, du hättest hören sollen, wie ich dich angepriesen habe, so lang, bis er gesagt hat, du hast recht, Lisa, sie *ist* großartig, wir haben so viel gemeinsam, ich muß es ihr gleich schreiben, ich darf sie nicht verlieren. Lisa kicherte zufrieden: Wenn du mich hättest hören können! Wenn er sagt: Aber sie ist älter als ich, dann sage ich: Aber sie sieht jünger aus. Wenn er sagt: Der Ozean liegt dazwischen, die riesige Entfernung, dann sage ich: Die läßt sich mit dem Flugzeug überwinden. Gegen mich kommt er mit seinen Einwänden nicht an!

Als Lillian eine Woche später, diesmal jubelnd, anrief, er hat mir einen wunderbaren Brief geschrieben, antwortete Lisa nur: Ich weiß, und schwieg. Lillian horchte mißtrauisch in dieses Schweigen, aber sie wagte nicht zu fragen, warst du es, die ihn dazu brachte, sag mir die Wahrheit, du verschweigst mir etwas. Ich bin so weit von ihm entfernt, ich muß mich auf dich verlassen können, bat sie statt dessen.

Lillian, fragte Lisa, wie lange willst du diese Beziehung noch weiterführen, mit mir als Mittlerin? Was ich jetzt für dich tun kann, ist nur, deine Sucht zu lindern, du solltest dankbar sein, statt mißtrauisch zu fragen, es muß dir gleichgültig sein, woher er die Inspiration für seinen Brief hat, Hauptsache, du hast ihn bekommen und ein paar Tage Erleichterung, sogar Glück verspürt.

Lisa hatte recht. Lillian brauchte seine Beteuerungen, daß sie zusammen reisen, zusammen leben würden, weil es nur sie gab, keine andere, sie brauchte seine Lügen, wenn es Lügen waren, mehr als die Wahrheit, sie lebte längst schon in einer Welt, in der die Wünsche Wirklichkeit bewegen konnten und Fakten nicht mehr zählten.

Zum fünften Mal in dieser halben Stunde streckte Lillian die Hand nach dem Telefon neben dem Bett aus. Zehn Minuten noch, dachte sie, noch bis halb acht, dann würde Lisas Wecker klingeln – und zugleich das Telefon: Ich bin's, in New York, allein, niemand hat mich erwartet, niemand abgeholt, sie würde weinen müssen, hemmungslos um sich selber weinen, um zu spüren, daß ihr die Schwester nahe war wie niemand sonst, zu nahe, um Haltung zu bewahren.

Es war ein altmodisches schwarzes Telefon mit großen weißen Zahlen unter der schwarzen Scheibe, die man langsam mit dem Zeigefinger drehen mußte, feierlich, nicht hastig oder sachlich, denn immerhin holte sie sich die Bestätigung, daß sie tatsächlich angekommen war, auf jener Seite des Ozeans, auf der sie bleiben würde. Und wie es weitergehen sollte, auch davon mußte Lisa eine Ahnung haben – war sie nicht mitverantwortlich für Lillians Entscheidung? Hatte sie nicht gesagt, du mußt schon selber kommen, sonst haben meine Bemühungen um ihn gar keinen Sinn? Hatte sie nicht geschrieben: Nur wer feig ist, läßt andere für sich entscheiden und bleibt in seinem sicheren Bau? Siehst du, dachte sie, feig bin ich nicht, da bin ich, jetzt hilf mir weiter.

Sie brach in Lisas Morgen ein, das Kaffeewasser

kochte, das Radio lief, vom Badezimmer rauschte es, und Lisa rief *Hallo* mit einer Stimme, die sagte, ich habe nicht viel Zeit, ruf später an oder faß dich kurz.

Lisa, er war nicht da, nicht auf dem Flughafen, nirgends, rief Lillian mit einer Verzweiflung, als wäre alles eben erst geschehen und sie mittellos in einer fremden Stadt gestrandet. Was hat das zu bedeuten? fragte sie hilflos. Lisa rückte sich einen Stuhl zurecht, ächzte zufrieden, trank schlürfend einen Schluck und hatte eine plausible Erklärung: Er kann doch nicht, denk an das Engagement in Chatham, vielleicht ist er nur selten in New York, du bist doch darin seiner Meinung, dachte ich, zuerst die Kunst, dann du und alle andern.

Ja, das verstand sie, zuerst er, dann ich, nie hatte sie daran gerüttelt, sie hatte ihn sogar ermutigt, als könnte sein Erfolg wirklich der ihre werden, als wäre er eine Garantie für irgend etwas, das sie betraf.

Sie ließ sich erleichtert auf das Bett fallen, wie früher als Schülerin, die Füße an der Wand über dem Bett, die Haare über den Bettrand und das Ohr am Hörer, bequem für Stunden eingerichtet, um die Details der letzten Samstagnacht mit einer Freundin zu besprechen, die genau das gleiche zu berichten hatte, auch vom Samstagabend, ein Satz, ein Blick, ein Händedruck, der vielleicht etwas versprach, doch was genau – man war erst sechzehn und konnte noch nicht so sicher sein wie später, was dann kam, nächsten Samstag vielleicht schon. Und wie verhielt man sich, wenn kam, was kommen mußte?

Nichts hatten sie damals für sich allein erlebt, als gäbe es nur sie und den jungen Mann, mit dem sie jeweils ausgingen. Alles mußte vor dem Tribunal der

Freundinnen bestehen, von denen er nichts ahnte. Den ganzen Samstagabend schon brannten sie darauf, den anderen zu berichten, am Sonntagmorgen im Bett am Telefon genußvoll jede Einzelheit zu wiederholen: Was er gesagt hatte, wortwörtlich, und was für ein Gesicht er dabei gemacht hatte. Bis man sich verliebte, dann erst konnte etwas verschwiegen werden. Und vorher, am Nachmittag oder am Freitag, die Intimität, die Spannung, wenn sie einander in pastellfarbenen Jungmädchenzimmern die eingedrehten Locken ausfrisierten, die Augenbrauen zupften und sich im Spiegel miteinander maßen, komplizenhaft und nicht ohne Neid. Wenn sie Frauen in Europa davon erzählt hatte, von den Samstagsverabredungen, die am Dienstag, spätestens am Mittwoch getroffen werden mußten, und welche Niederlage ein Samstag allein gewesen war, welches Versagen vor den anderen, hatten die nie verstanden, wie man das ertrug, ein Ritual, das ihnen künstlich schien, Intimität mit anderen Mädchen statt mit Jungen.

Ich weiß, hatte Lillian gesagt, deshalb traut ihr anderen Frauen nicht, deshalb verschweigt ihr eure Niederlagen und euer Unglück, und jede glaubt, sie sei allein, und alle anderen wären glücklich.

Du nimmst den nächsten Zug am Vormittag und kommst zu mir, entschied Lisa. Dann reden wir weiter. Jetzt muß ich weg.

Wie gut, daß ich dich habe, sagte Lillian dankbar, und dachte: Wenn ich geblieben wäre, hätte ich Freundinnen gehabt, Frauen wie Lisa. Im Grund hatte sie europäische Frauen nie so recht verstanden, nicht einmal Kathrin, denn Kathrin hatte sich in einer unausgesetzten Rebellion befunden, und Lillian hatte nicht immer gewußt, wogegen. Die anderen Frauen, die sie kannte, hielten trotz aller Freundlichkeit, ja Herzlichkeit, mit der sie ihr entgegenkamen, eine Distanz, die Lillian nicht anders zu deuten wußte, als daß sie ihr mißtrauten. Ist es, weil ich Ausländerin bin? hatte sie gefragt.

Nein, hatte Kathrin ihr erklärt, man redet einfach nicht über Privates, fast alles ist privat, die Ehen, die sie führen, Gefühle, und vor allem Geld, sie sagen *man* und haben Meinungen, du kannst erfahren, was sie für richtig halten und was sie verdammen, doch was sie fühlen, wenn sie allein sind, das wirst du kaum erfahren, und wie ist es bei euch, seid ihr denn offener?

Ich weiß es nicht, hatte Lillian zugegeben, ich war zu lange weg, als ich noch in die Schule und aufs College ging, da war es anders, damals hat es keine Geheimnisse gegeben. Erst nach einem Besuch bei Marlene konnte sie den Unterschied benennen. Sie hatten Claudines Schulprobleme besprochen. Das geht nicht an, hatte Marlene empört gerufen, das kannst du dir nicht gefallen lassen. Das ist es, hatte Lillian gedacht, wir haben keine Angst, uns einzumischen.

Lillian hatte längst die Sicherheit verloren, was man sich noch, was man sich nicht mehr gefallen lassen durfte, wo die Grenzen lagen und was die Regeln waren. Nur jene, die nie Grenzen überschritten, nie Regeln verletzt hatten, dachte sie, konnten sicher sein. Nichts, was ihnen zustieß, geschah wie bei ihr ohne Hintergrund, auf leerer Bühne und wurde maßlos und beziehungslos, nicht einzuordnen, unerklärbar wie Katastrophen oder Wunder, zu groß fürs Leben, zu bizarr für die Wirklichkeit. Das ganze dichte Gewebe von Menschen, keiner für sich unersetzlich, von Orten, Straßen und Adressen, Geschäften, Eingängen, Ampeln und Straßenecken, nichts an sich bedeutsam, aber alles zusammen ein Netz, das sie gehalten und ihr Platz und Bedeutung vorgeschrieben hatte, war verschwunden. Kein Schritt, kein Wort, keine einzige Handlung war mehr selbstverständlich in diesem Vakuum, alles konnte so sein oder ganz anders, nichts war gesichert, auch sie selber nicht, es gab kein Bild von ihr, sie konnte jederzeit vom Erdboden verschwinden, verdampfen, vertrocknen, unsichtbar werden, und alles, was sie erlebt, was sie in fünfzehn Jahren erworben hatte, wurde von der Auszehrung angesteckt, nichts war mehr unverrückbar.

Höchste Zeit zum Aufbruch, dachte sie, höchste Zeit, den Platz zu finden, an dem ich Sinn ergebe, an dem ich leben, an dem ich schreiben kann.

Sie griff wieder zum Hörer, wen konnte sie noch anrufen, um diese Leere auszufüllen, die ihr nach jedem Innehalten den Boden unter den Füßen wegzuziehen drohte? Es gab jetzt niemanden mehr außer Alan, den sie sich aufsparte für später, die Telefonnummer, die sie nirgends suchen mußte, von der sie ihre Hand wegreißen mußte, sonst fanden ihre Finger sie gedankenlos, blind, bevor sie noch ihre Stimme zur Ordnung rufen konnte, eine ruhige, feste Stimme mußte ihr gelingen, die nicht zitterte. Wahrscheinlich war er gar nicht in Brooklyn und wenn er da war, war es noch viel zu früh, er würde wütend sein, du hast mich aufgeweckt, er würde schweigend warten, daß sie sich entschuldigte und leise auflegte. Sie hatte Angst, wie früher, als Studentin, wenn sie einen Professor anrief, wie vor einem Vorgesetzten, dachte sie und wies sofort die unannehmbare Erkenntnis von sich, Unsinn, ich bin nur aufgeregt, weil ich ihn liebe.

Sie holte ihr Adreßbuch aus dem Handgepäck, es mußte doch noch andere geben, Bekanntschaften aus den vergangenen Sommern, alte Freunde, zu denen der Kontakt nicht abgerissen war, von denen sie fordern konnte: Nehmt mich wahr, es gibt mich, rechnet mit mir, gesteht mir einen Platz unter euch zu, schafft Raum und Zeit für mich in eurem Leben, wie soll ich jemals sonst hier wieder heimisch werden? Doch es gab niemanden, dem sie sich nah genug fühlte, niemanden, dem sie mit ihrem Anruf Freude machen würde.

Während sie wartete, stellte sie sich Alans Wohnung in Brooklyn vor, den kleinen Küchentisch und die zwei Stühle am Fenster, kein dritter Stuhl war in der Wohnung, keine dritte Tasse, niemand war dort willkommen für mehr als eine Nacht. Die pedantisch aufgeräumte Küche, das ungemütlich leere Wohnzimmer, kein Sofa, keine Sitzgelegenheit, nur Kommoden und Regale an den Wänden, auf denen Erinnerungsstücke wie Trophäen standen. Komm, ich geb dir eine Führung durch mein Museum, hatte er bei ihrem ersten Besuch gesagt und ihr die Herkunft eines jeden Gegenstands erklärt. Hast du noch nie was weggeworfen, hatte sie gefragt.

Nein, was ich nicht mehr brauche, lege ich irgendwo beiseite, vielleicht will ich es einmal wieder zur Hand nehmen, man weiß nie, was man noch braucht.

Bewohnt schien nur sein Schlafzimmer, dort stand das Telefon, auf einem runden, niedrigen Messingtisch direkt neben seinem Kopf. In diesem Raum war es immer dämmrig, das Tageslicht drang nur in schmalen Streifen durch die Jalousien, und Sonne gab es nie auf diesem Hinterhof. Jedesmal, wenn sie zu früh angerufen hatte, hatte sie an seiner schlaftrunkenen Stimme vorbeigehorcht nach anderen Geräuschen, nach einer Schläferin, die aufgeschreckt war, vor der er sich verstellen und Lillian verleugnen mußte. Nie hätte sie gewagt zu fragen, bist du allein, nicht einmal im Scherz, stets hatte sie sich beeilt, sich einzureden, daß sie ihn nicht besitzen wollte, nicht als eine Sicherheit fürs Leben, aber sie litt an der Freiheit, die sie ihm zugestehen wollte, sie haßte ihn manchmal dafür. Einmal, im letzten Frühjahr, nach vielen Wochen Schweigen und einem kühlen, distanzierten Brief, der ihr wie ein Beweis seiner Verweigerung erschienen war, hatte sie begonnen, aus Schmerz und Rachsucht sein Foto zu zerschneiden, den Mund in Streifen, Kehle und Stirn in Schnipsel, sie war nicht abergläubisch, aber es war ihr vorgekommen wie ein Verbrechen an seiner Stimme, erst bei den Augen hatte sie innegehalten. Es hatte sie nicht befreit, ihn zu verstümmeln, sie ließ ihm seinen nachdenklichen, ironisch distanzierten Blick.

Zuletzt hatte sie ihn vor vier Wochen angerufen, als sie begriffen hatte, daß er um ihretwillen nicht nach Europa käme. Wenn sie wollte, daß die Geschichte mit ihm weiterging, war sie es, die ihn suchen mußte.

Wenn ich diesmal komme, hatte sie ihn gewarnt, dann für immer und nur deinetwegen.

Ein Geständnis gegen jede Vorsicht und Vernunft, das ihn wahrscheinlich in die Flucht schlug, doch einmal mußte sie es sagen, er sollte später nicht behaupten können, er habe nicht geahnt, wie es um sie stand.

Die eigene Kühnheit nahm ihr den Atem. Sie horchte in den fernen Raum, der ihn umgab, in seine Stille, als könne die ihr seine Botschaft übermitteln, eine Sekunde, bevor er sich entschied, damit sie bei seinen Worten schon gefaßt war. Die Leitung rauschte lange, achttausend Kilometer Schweigen wie vor einem Urteilsspruch, er war der Richter, der noch überlegte, wie der Spruch lauten sollte, und sie die Angeklagte, die es wagte, ihn mit ihrer Zukunft zu bedrängen und die nun selber sehen mußte, wie sie es überstand.

Das ist eine schreckliche Belastung, sagte er schließlich, die du mir da zumutest, eine Verantwortung, die ich nicht tragen kann.

Aber es ist *mein* Wille, rief sie, *mein* Entschluß, meine Verantwortung ... allein für dich.

Das ist es eben, seufzte er, ich freue mich natürlich, aber wie soll ich solchen Erwartungen entsprechen? Ich weiß, daß ich versagen werde.

Du willst mich also nicht?

Doch, ja, er wollte sie, er liebte sie, nur nicht so feierlich; zwanglos und ohne ewige Schwüre wollte er mit ihr zusammensein, wenn es sich für sie beide so ergab.

Doch kein Wort war bei ihm das letzte, und eine Woche später kam ein Eilbrief, der alles widerrief: Bitte komm, gleich sollst Du kommen, schrieb er, ich sehne mich, und all die anderen Sätze, die er so geläufig sagte, daß sie dachte, er lügt, er meint nichts wirklich von alldem. Aber sie wollte glauben, sie wiederholte sich seine Sätze wie Gebete, um ihnen Wahrheit abzutrotzen. Sie wußte, wie heftig und schnell seine Begeisterung entflammen und wieder erlöschen konnte.

Er hatte ihr so vieles versprochen und nicht gehalten. In Innsbruck, vor dem ersten Abschied: Ich schreib dir jeden Tag, und jede Woche schicke ich dir ein Tonband. Aber bereits am letzten Tag, als sie ihn auf den Bahnhof brachte, hatte es keine Nähe mehr gegeben. Er war wortkarg und feindselig, bereit, sie zu verletzen, als sei die Trennung ihre Schuld. Er legte soviel Fremdheit zwischen sie an diesem letzten Morgen, daß sie es nicht mehr wagte, ihn zu berühren, der Abstand zwischen ihnen wuchs so schnell, daß sie nicht wußte, ob sie einander zum Abschied auch nur die Hände schütteln würden.

Vielleicht, sagte sie, werde ich dich bald besuchen, oder du kommst zurück und wir reisen zusammen?

Möglich, sagte er gelangweilt, aber es kann auch sein, daß ich dann nicht mehr allein bin.

Er redete von einer Zukunft, in der für sie kein Platz war, von einer Frau, die er vor seiner Abreise kennengelernt hatte. Er warf ihr einen schnellen, prüfenden Blick zu, als kalkuliere er die Wirkung seiner Sätze. Vielleicht gehe ich schon am nächsten Samstag mit ihr aus. Wenn er von ihr, von Lillian, sprach, dann sagte er, *du warst*, als sei die Gegenwart bereits vergangen wie eine ferne Episode.

Vielleicht will er mich für den Abschied strafen, dachte sie. Aber sie streckte keine Hand mehr zu ihm aus, sie zog sich in sich selbst zurück und schwieg, so war es leichter, den Schmerz zu ertragen. Und so wurden sie einander am Ende zu höflichen Fremden, die Abstand hielten und Anstand wahrten. Erst als der Schnellzug einfuhr, legte sie einen Augenblick lang den Kopf an seine Schulter, um ihre Tränen zu verbergen, den Schmerz, den er nicht teilen wollte.

Ich werde ein Gedicht über dich schreiben, sagte sie.

Es klang in ihren Ohren bitter wie eine Drohung, aber er lachte geschmeichelt: Vielleicht schreibe ich ein Lied für dich.

Nichts wirst du tun, sagte sie zornig, vergessen wirst du mich, und in einem halben Jahr hast du dieselben Lügen schon einem Dutzend anderer Frauen aufgetischt.

Vergessen hatte er sie nicht, aber nicht eines seiner Versprechen hatte er gehalten. Sein erster dünner Brief kam nach drei Wochen, dann lange nichts. Später rief er an, und sie war so benommen von seiner Stimme, daß sie einen ganzen Tag brauchte, um den Inhalt seiner Worte zu verstehen: Daß sich in seinem Leben ständig alles überstürzte und er unglaublich beschäftigt war, doch daß er in jeder freien Minute an sie dachte. Im Winter war sie zu ihm geflogen und hatte als Abschiedsgeschenk neue Versprechungen von ihm erhalten, die alles je zuvor Gehörte übertrafen. Kein einziges Mal hatte er sein Wort gehalten, doch jedesmal verzieh sie ihm, denn sie wußte, selbst wenn er haltlos übertrieb, sprach er die Wahrheit – doch eben nur für diesen einen Augenblick. Wie auf der Bühne legte er die Hand aufs Herz, ich liebe dich, und wenn der Vorhang fiel, war alles anders.

Er ist ein Risiko, warnte Lisa. Er ist doch keine Zukunft, sagte Josef.

Ich will ihn nicht besitzen, rief sie und log. Was quälte sie denn so am Warten, wenn nicht die Angst vor dem Verlust? Wenn jemand fragte, was es war, daß er und niemand sonst ihr soviel Glück und soviel Elend antun konnte, stammelte sie *Verzauberung*, *Magie* und *Vorbestimmung*, *es war, als hätte ich ihn immer schon gekannt*, und erregte Anstoß und ungläubige Verwunderung über soviel Schwäche, soviel Selbstaufgabe. Dann kam auch sie sich ausgeliefert vor, am Endpunkt einer langen Flucht in immer verwirrtere, unerfüllbarere Träume, und nichts hätte sie weniger erstaunt, als wenn ein Fremder in Alans Wohnung den Hörer abgehoben hätte: Den gibt es nicht, der hat hier nie gewohnt.

So mußte es sein, das war die Erklärung für sein Fernbleiben auf dem Flughafen gestern, für sein Schweigen. Sie hatte ihn vielleicht erfunden, um sich Mut zu machen, und immer fester an ihn geglaubt, bis sie den Ausbruch wagte. Nun war er überflüssig und sie mußte sehen, wie sie sich allein zurechtfand. Auf einmal war es leicht, die Nummer in einem einzigen Anlauf zu wählen. Sie wußte, er war nicht da, er konnte gar nicht dort sein in seiner Wohnung, wenn es ihn nicht gab. Schon am Läuten des Telefons konnte man erkennen, daß die Wohnung leerstand, dachte sie, und spürte dennoch einen Stich Enttäuschung. Dann lief das Tonband mit seiner Stimme, die allen galt, nicht ihr, ihr wohl am wenigsten. Sie hörte zu, hörte sich an, wie er seine Zuneigung gleichmäßig verteilte an alle, die diese Nummer wählten: Ich bin jetzt leider nicht da, aber legt nicht auf, seid nicht enttäuscht, wählt folgende Nummer in Lexington, es ist mir wichtig, daß ihr anruft. Sie wählte wieder und noch einmal, um sich sattzuhören an dieser Stimme, die sie tröstete, ich bin nicht da, aber dein Anruf ist mir wichtig, und sie war eifersüchtig auf alle anderen, denen er dasselbe sagte, das, was nur ihr galt, es freut mich, daß du anrufst, geh nicht fort. So saß sie lange und zwang das Tonband, sich zu wiederholen, liebe Freunde, ich bin nicht... Wie seine Stimme trösten konnte und zärtlich war, vielleicht galt sie den anderen, einer neuen, vielleicht auch nur sich selbst, dem eigenen Verlangen, geliebt zu werden.

Sie legte auf. Er ist doch selber zu schutzlos und verwundbar, um zu lügen, dachte sie, und fühlte wieder die Einfachheit, die Unschuld ganz am Anfang ihrer Liebe, die keine Lüge zugelassen hatte und keinen Zweifel an ihrer Richtigkeit.

Es gab keinen Grund mehr, im Hotelzimmer zu bleiben, hier stand die Zeit still, und Lillian fühlte eine irritierte, angespannte Müdigkeit wie nach einer langen Reise, wenn es Zeit wird heimzukommen. Nach Hause, nach Rye, zu dem Haus im Schatten der Bäume, der so dicht war, daß vor dem Haus nur Moos wuchs, und hinter dem Haus war der Rasen hart wie Riedgras, und die Sandzungen des Strands leckten bis unter die Pfosten der Veranda. Sie hatte keine zusammenhängenden Erinnerungen an jene Zeit, sie war noch nicht fünf gewesen, als der Vater das Haus verkaufen mußte und sie zur Großmutter zogen. Aber das wuchernde Unterholz der *marshlands* im Frühling, die Eltern beim Tischtennis an Sommernachmittagen hinter dem Haus, die tief in die Dünen eingegrabenen Hohlwege zum Strand und die vielen Landzungen und morastigen Inseln, die im Frühjahr oft ganz im Meer versanken, das waren ihre Bilder, die mit der größten Sehnsucht befrachtet waren. Es gab nicht viele Fotos aus dieser Zeit, oder, was wahrscheinlicher war, ihr Vater hielt sie unter Verschluß, um sich heimlich mit ihnen zu quälen. Aber auf den wenigen Fotos, die sie kannte, und die ihre Erinnerungen mitgeformt, vielleicht auch entstellt hatten, war es Sommer oder

Frühling, und die Eltern, ein sehr junges Paar, lachten und trieben Unfug, sie saßen in einem Boot, das der Vater durch Körperverrenkungen zum Kentern zu bringen versuchte, sie ritten salutierend in einem Vergnügungspark auf dem Rücken eines Ungeheuers, das wie ein ausgestopftes Krokodil aussah. Und auch wenn sie selber, als Kleinkind, mit auf dem Bild war, schien irgendein gefährlicher Spaß im Gang zu sein, sie schwebte zappelnd über dem Kopf des Vaters, sie saß in einer Astgabelung, so hoch wie sein Arm gerade noch reichte. Es mußten glückliche Jahre gewesen sein, aber in ihrem Gedächtnis war nur ein vages Gefühl von Geborgenheit übriggeblieben, von einem Ort, an dem man endgültig ankam.

Sie hatte später das Haus gesucht, es war verschwunden. Ein Bungalow aus rötlichen unverputzten Ziegelmauern und viel Glas war an seiner Stelle, die Bäume standen vereinzelt, und der Rasen war kurz und gepflegt. Das Meer in der Bucht war wie oft im Spätherbst gewesen, wie ein silberner blinder Spiegel unter einem lastenden grauen Himmel.

Dort wollte sie nicht mehr hinfahren. Aber sie konnte einen Lokalzug von Grand Central nach Norden nehmen und die Kleinstadt besuchen, in der sie zur Schule gegangen war, auch dort war sie ja zu Hause gewesen, und auch dort hatte sich vieles verändert. Das Haus, in dem sie gewohnt hatten, war vor einigen Jahren bis zur Unkenntlichkeit renoviert worden, mit einer Eingangshalle wie zu einem Bürogebäude, einem Portier und automatischen Türen. In den Wohnungen war es bestimmt nicht mehr so düster wie früher, denn statt der zugigen Doppelfenster spiegelten breite Glasfronten den Himmel und die gegenüberliegenden Häuser. Das ganze Viertel erschien im Vergleich zu früher nobel und still, als wäre kein Platz mehr für Provisorisches wie den kleinen 24-Stunden-Laden des griechischen Käse- und Gemüsehändlers im Erdgeschoß nebenan, und auch nicht für schamlos Privates, die Familienstreitigkeiten und Züchtigungen der Kinder, die bei offenen Fenstern ausgetragen worden waren. Der griechische Laden von nebenan hatte die Veränderung überlebt, er war jetzt ein Delikatessengeschäft mit Kühlvitrinen und einem Förderband vor der Kasse, die Ware war frisch, es gab nichts Selbstgemachtes in Fässern und Schüsseln mehr, und lauter neue Gesichter. Lillian hielt es für rückständig und dumm, den Fortschritt zu beklagen, sie ging nicht in die alten Geschäfte mit der Erwartung, daß jemand sie wiedererkenne, nur – sich hier noch zu Hause zu fühlen, wäre ihr nicht mehr gelungen, sie hatte es auch nie versucht. Nicht einmal in die Pizzeria im Souterrain des gegenüberliegenden Hauses war sie hineingegangen, in deren Gewölbe sie mit Freunden vor dem offenen Feuer gesessen hatte, mit dem aufregenden Gefühl, direkt vor der Nase der Großmutter Verbotenes zu tun, denn erstens ging man zum Essen heim und zweitens war Pizza *junk food* und nicht gesund. Sogar die Allee, die von der Straßenecke zum steinigen, meist trockenen Flußbett hinunterführte, war weg. Vielleicht waren die Bäume morsch und gefährlich gewesen, oder sie paßten nicht zu den neuen Häusern, aber für das Fehlen der Allee wollte sie keinen Grund anerkennen, denn es waren besondere Bäume gewesen. Nie wieder hatte es Bäume gegeben, die sie wie Haustiere liebte. Nicht die kleinste Veränderung war ihr entgangen, wenn die ersten weißrosa Knospen aufbrachen und wenn sie verblühten, alles, was es über Bäume zu wissen gab, hatte sie von ihnen erfahren. Nie wieder in späteren Jahren hatten Baumblüten sie in so unsinnige Aufregung versetzt, als könnte ihr spärliches Weiß zwischen den Schatten der Häuser das Leben selber erneuern, und in Regennächten spät abends im Sommer unter den Straßenlaternen hatten sogar die Blätter sich in Blüten verwandelt.

Das letztemal war sie im Herbst dort gewesen und hatte Bessie geholfen, ins Altersheim überzusiedeln, damals hatte es die Bäume schon nicht mehr gegeben. Ihre Blätter wären jetzt braun gewesen und eingerollt, eingeigelt gegen den Fall, aber erst der Herbstregen hätte sie von den Zweigen gelöst. Der Regen verbarg sich schon in tiefhängenden Wolken über dem Fluß, er würde die Baumkronen nicht mehr benetzen. Bessie war ungeduldig und nörgelte, der Herbst war keine Jahreszeit, um auszuziehen, diese dunklen Tage, an denen man nach mehr Wärme verlangte, als man nötig hatte.

Sie sagte, sie dächte jetzt oft an den Tod, sonst sei ihr nichts mehr geblieben, doch als sie in den Lieferwagen zu ihren Koffern und Möbeln stieg, weinte sie, zu viele Erinnerungen hielten sie zurück, die durch ihr Fortgehen herrenlos würden. Der ganze Kram ihrer Kinderjahre war in der Wohnung zurückgeblieben, und Lillian mußte bei jedem Stück neu entscheiden, ob sie es zur Mülltonne tragen oder in den Koffer legen sollte. Eine Düsternis lag über den leeren Räumen, die sich den ganzen Tag hartnäckig hielt, und es gab keinen Stuhl mehr, sich daraufzusetzen, auch keine Lampenschirme, Bessie hatte nur Unbrauchbares zurückgelassen.

Stunden zu früh saß Lillian in der Abflughalle, den Koffer voll nutzloser Kindersachen zu ihren Füßen und ihre alte Gitarre im Arm. Sechseinhalb Stunden über dem Atlantik hatte die verstimmte Gitarre ihr den Schlaf geraubt, sie hatte ihr im Arm gelegen wie ein hölzernes Kind, während die junge Deutsche neben ihr in ihrer Begeisterung vom Auswandern redete. Dann war sie eingeschlafen, und Lillian hatte um Mitternacht die Sonne aufgehen sehen und sich, vor Schlaflosigkeit überreizt, geschworen, nie wieder Erinnerungsstücke über den Atlantik zu bringen, kein Transfer mehr zwischen hier und dort, die Gegenstände starben unterwegs leicht ab und wurden schwer wie Abfall.

Doch jedesmal wieder hatte sie in den Tagen vor ihrer Abreise nach Europa gehamstert und eingekauft, als müßte sie in der Einöde einen Hausstand gründen. Als könnte sie nur mit Gewohntem leben, das ihr das ganze Land ersetzen mußte, Kosmetika, Kekse, Erdnußbutter, Medikamente und Vitaminpräparate, die dann, in einer Schublade abgelegt, das Verfallsdatum überschritten.

Sie riß Lisas Telefonnummer aus ihrem Adreßbuch und warf es in den Papierkorb, schüttete die Geldbörse mit österreichischen Münzen darüber aus. Ein Hagel silberner und gelber Münzen. Das Verlangen, sich aller überflüssigen Dinge zu entledigen, erfaßte sie wie ein Zwang, alles, was Spuren von früher trug, mußte in den Papierkorb, und mit jedem Gegenstand, den sie wegwarf, fühlte sie sich leichter. Am Ende blieb ihr nichts Wesentliches, kaum mehr als die Kleider, die sie am Leib trug.

Mitten in ihrer Wut, sich zu entäußern, fand sie das

Wörterbuch und zögerte. Warum beim Wörterbuch, das überflüssiger war als fremdes Kleingeld, Beweis der jahrelangen Unzulänglichkeit? Wegen der Wörter, die sie unterstrichen hatte, vor Jahren, als sie die Sprache lernte, weil sie ihr gefielen und sie wie reine Poesie berührt hatten? Um Bilder zu behalten wie *Dunst* und *Nebel, Niederung* und *dämmern*, deretwegen sie bedauert hatte, daß sie nie in der fremden Sprache dichten würde. Wo in Amerika gab es die sinnliche Entsprechung für Bach, für Dom und Gasse? Den leichten Salzgeruch von *rain* hatte sie oft vermißt, das angenehme leichte Frösteln nach einem Sommerregen, denn *Regen* war kalt, schwer und grau. Würde sie nun die andere Hälfte in sich veröden lassen müssen und sich dabei noch sagen, es war richtig so, es war ein angemessener Preis? An irgendeinem Teil von sich mußte sie wohl Verrat üben. Vielleicht werde ich mich nach ein paar Jahren nach Europa sehnen, dachte sie belustigt, und es empört verteidigen gegen jeden, der es kritisiert, ohne es zu kennen wie ich. Und womöglich fange ich dann an, mich hier wie im Exil zu fühlen und mich zu sehnen, mich verantwortlich zu fühlen für das fremde Land.

Manchmal in Europa, wenn sie eine amerikanische Zeitung las, war es ihr vorgekommen, als läse sie die Briefe von Verwandten, die sich verändert hatten, in unbekannte Gegenden verzogen waren und langsam Fremde wurden. Sie saß in einer vergangenen Zeit fest und wußte nicht, ob es das Amerika, in das sie zurückkehren wollte, überhaupt noch gab. Wenn sie für ein paar Wochen auf Urlaub kam, war ihr aufgefallen, daß die Jungen andere Wörter benutzten als früher, man las Bücher und spielte Stücke, von denen sie nie oder erst mit großer Verspätung erfuhr, und wie hätte sie wissen sollen, für welche Filme man Schlange stand und welche Zeitungsnachrichten die Phantasien oder den allgemeinen Zorn erregten? Alles war fünfzehn Jahre lang unbeirrt ohne sie weitergegangen, nur sie selber war stehengeblieben und hatte sich in Schatten und Erinnerungen verbissen, und wenn sie sagte *modern* oder *zeitgenössisch*, meinte sie längst Antiquiertes. Würde man es ihr ansehen, wie wenig sie von der Gegenwart wußte, wenn sie in der Subway saß und neugierig nach den Buchdeckeln der Bestseller in den Händen von Vorstadtpendlern schielte? Und wenn schon, was war dabei? Doch dann wäre sie wieder eine Fremde, die nicht mitreden konnte, weil sie vieles nicht wußte und nichts verstand, eine, die nur tastend ihre Lücken ausfüllen konnte, während die anderen Gewißheit besaßen, niemals auf Mutmaßungen angewiesen waren wie sie. Und wie sollte sie sich in ihrer aus der Bahn geworfenen Existenz jemals ein Urteil bilden, wenn sie nie am richtigen Ort zur rechten Zeit Zeugin gewesen war?

Ich bin wie eine Pause im Zeitgeschehen, hatte sie manchmal in Europa gedacht, ein weißer Fleck, an dem nichts haften bleibt, weil man ihn immer überspringt. Es waren nicht die Fakten, die ihr fehlten, und nicht die Informationen, die in den Zeitungen zu lesen waren, es war die Perspektive, die sie nichts anging, der Standort, der sie von den anderen unterschied. Sie brauchte sich andererseits auch nicht zu schämen für das fremde Land, es traf sie keinerlei Verantwortung. Wenn man sie aufforderte, sich zu schämen, dann ging es immer um Amerika. Josef hatte auf eine unbeholfene Weise versucht, ihr Heimat zu ersetzen, indem er jeden Amerikaner, den er kennenlernte, nach Hause brachte, überhaupt alles mit der Aufschrift *made in USA*, Nahrungsmittel, T-Shirts, nutzlose Gegenstände, doch diese Dinge waren es nicht, die sie vermißte. Was sie entsetzte, war das Wissen, daß sie im eigenen Land heimatlos sein würde, während sie in Europa eine Fremde blieb.

Mit leichtem Koffer und ohne festen Plan trat Lillian auf die Straße. Es war ruhig in dieser Seitenstraße, wer unterwegs war, wußte wohin und war in Eile, war verankert in einer täglichen Routine und sah die Stadt nicht, er lebte ja in ihr. Nur Lillian schlenderte ohne Eile zur Fifth Avenue hinüber, fühlte sich leicht und unternehmungslustig wie jedesmal in Manhattan, sah zu den schmucklosen, regelmäßigen Fassaden empor und war zum erstenmal seit ihrer Rückkehr glücklich über den Gedanken: Ich bin zu Hause. Sie brauchte weder wie eine beflissene Touristin zu staunen noch sich irgend etwas angestrengt einzuprägen, alles, die wuchtigen Steinfassaden, die schlanken Glas- und Marmorfronten, die breite Avenue in der blendend hellen Sonne, der Park, alles war ihr Besitz, und sie war stolz darauf. Menschen in Anzügen und Sommerkleidern traten aus dem Schatten grüner Markisen, winkten Taxis an den Straßenrand, sie sah ihnen nach, alle redeten sie englisch, dachten englisch, träumten englisch. Wie selbstverständlich und wie wunderbar, das allein war Grund genug zu bleiben. Neugierig sah sie in Gesichter, die Vielfalt, dachte sie, so viele Völker haben sich in diesen Gesichtern vermischt, alles, was ihr einst selbstverständlich gewesen war, wurde auf einmal wieder Grund zum Staunen.

Sie wechselte hinüber zum Central Park, saß eine Weile auf der Uferböschung des Sees im Schatten einer Trauerweide, deren Zweige wie träge Finger im Wasser spielten. Hier war sie einmal mit einer Freundin und Claudine in einem Boot hinausgerudert, Claudine war damals drei und Didi, mit der sie vier Jahre lang am College unzertrennlich befreundet gewesen war, lebte jetzt in Illinois, schickte jeden Januar Neujahrsgrüße und versprach Briefe, sobald sie Zeit hätte.

Hinter dem dichten Grün des Parks erhoben sich die vornehmen Hochhäuser der Central Park Avenue, zart graublau und fern, unwirklich wie Kulissen. In eines dieser noblen Apartmenthäuser hatte der Vater sie früher manchmal mitgenommen, die einzige Mäzenin, die er jemals hatte, lebte dort. Sie hatte als gelangweilte Witwe einen Kurs für kreatives Schreiben bei ihm belegt und ihn ins Herz geschlossen, nicht wegen seiner Texte, sondern weil sie sein Schicksal tragisch und seine verloren wirkende Gestalt bohemehaft faszinierend fand. Beryl Pierce hieß sie und war die Erbin eines Gemüseimportimperiums, eine exzentrische und launenhafte Dame, mager und nervös. Einmal waren sie zu einem *drink after dinner* eingeladen, er nahm immer die Töchter mit, wohl in der Hoffnung, mit ihnen Mitleid zu erregen. Zuvor wollten sie ins »Éclair« gehen und Torten essen, doch als er vom Telefonieren zurückkam, war er ganz verstört: Sie bringt sich um, wir müssen gleich hin und es verhindern. Sie sah sehr elegant aus für eine Frau, die mit dem Leben abgerechnet hatte, sie war nur betrunken und hatte Trost gebraucht, sofort und nicht erst nach dem Dinner. Von ihr besaß Lillian einen Trinkbecher,

Sterlingsilber mit ihren sämtlichen drei Initialen eingraviert, Lillian Milada Augusta. Beryl fand die beiden Waisenkinder zum Herzerweichen niedlich und machte ihnen teure, unpraktische Geschenke, was den Vater ärgerte, bis er sie schließlich darauf ansprach: Geld wäre uns lieber. Bald darauf rief sie an, sie wolle ihn nie wiedersehen, nie wieder von ihm hören und nicht mehr an ihn denken, ihr Therapeut hätte sie zu dem Entschluß ermutigt.

Lillian verließ den Park, sie wollte zum Broadway, alle vertrauten Gebäude wiedersehen, das Lincoln Center, die großen Kinos und Theater, Brutstätten ihrer hochfliegenden Mädchenträume, Schauspielerin hatte sie werden wollen, dann Tänzerin und später Dramatikerin oder Dramaturgin, irgend etwas beim Theater, aber sie hatte keine Begabung für Dialoge, Handlung, Spannung, ihr Talent war lyrisch. Müde vom Gehen und hungrig setzte sie sich ins »Greenhouse«, dem Kino gegenüber, in dem sie drei Jahre lang nicht einen einzigen Film versäumt hatte. Auch mit Alan hatte sie da gesessen, spät abends am Fenster mit Blick auf den nächtlichen Verkehr. Sie hatten Wein getrunken und einander die kalten Hände warm gerieben. Glaubst du an Liebe auf den ersten Blick, hatte er sie gefragt, den Anlaß zu dieser Frage hatte sie vergessen. Natürlich, hatte sie geantwortet, so war es doch bei uns. Er hatte sie mit einem ironisch hintergründigen Blick angesehen, der sagte, ich gebe dazu keinen Kommentar, und hatte kaum merklich den Kopf geschüttelt. Sie bestellte *pancakes* und ging telefonieren. Noch einmal rief sie seine Nummer in Brooklyn an, wieder lief das Tonband. Taktlos erschien ihr seine Stimme plötzlich mit ihrer Vertraulichkeit, ihrem Versuch, sich einzuschmeicheln, er lügt, dachte sie kalt, nichts ist ihm wichtig, er fürchtet nur, Gelegenheiten zu versäumen. Sie notierte seine neue Nummer auf die Hotelrechnung. Vielleicht würde ihr Anruf nichts anderes als der Anruf einer *lieben Freundin* sein, einer von vielen. Sie war erleichtert, daß sie, wenn auch nur einen Augenblick lang, denken konnte, na, wenn schon. Vielleicht, dachte sie gleich darauf, zu ihrem Tisch zurückgekehrt, wird alles gut gehen und wie am Anfang sein. Aber es fehlte jede Vorbedingung für einen solchen Anfang, es fehlte die komplizenhafte Freude, zwei Fremde in einer fremden Stadt zu sein und nichts vertraut als nur der andere. Wo immer sie sich schließlich treffen würden, er lebte jetzt in seinem Element und brauchte keine Fremdenführerin, die für ihn sprach und ihm die Einsamkeit des Reisens nahm. Nein, der Anfang war nicht zu wiederholen, jetzt waren sie mittendrin, vielleicht dem Ende näher als dem Anfang. Das Unverwechselbare ihrer Liebe hatten sie bereits hinter sich, im besten Fall würden sie eine Beziehung haben wie viele andere in diesem Land, zwanglos und sporadisch. Auch sie brauchte ihn nicht mehr dafür, daß er ihr Amerika ersetzte.

Ganz anderes würde er ihr hier ersetzen müssen, Erinnerungen an Europa, an die beiden Städte, die durch ihr Zusammensein besondere Städte geworden waren. Nie wird es wieder wie damals werden, dachte sie, wie drüben in Europa, so traurig und ohne Zukunft, so romantisch und herzzerreißend hoffnungslos. Das Langweiligste war sie hier für einen Mann wie Alan: eine Amerikanerin unter Amerikanern, die nichts zu bieten hatte als den bedrohlichen

Entschluß, ihn zu besitzen um den Preis ihres ganzen bisherigen Lebens.

Ich bleibe in New York, beschloß sie, wenn ich hier schreiben kann. Sie wollte gleich beginnen, wie früher, als sie überall schreiben konnte, im Café, im Park, auf einer Mauer, irgendwo, allein den Leuten zuzusehen, hatte sie schon inspiriert. Eine Begabung ist eine Verpflichtung, hatte ihr Bessie eingeschärft, man muß sie nützen und einlösen, sonst hat das ganze Leben sich nicht gelohnt. Schau deinen Vater an. Lillian hatte an Bessies Auftrag nie gezweifelt, sie war ausersehen, nicht nur um das Versagen ihres Vaters zu tilgen, sondern für Wichtigeres, Größeres als ein durchschnittliches Leben, wie es die anderen führten. Bessie hatte ihr große Namen als Vorbilder genannt, Menschen mit zerstörten, unglücklichen Leben, aber was zählte, war das Werk. Und wenn nur die Biographie blieb, kein Werk? Es war ein Risiko. Das hatte Bessie ihr nicht verraten, vielleicht war sie von Lillians Begabung überzeugt gewesen, die einzige, die an sie glaubte, zornig und unversöhnlich bis zu ihrem Tod – unversöhnlich, weil die Enkelin aus ihrem Leben nicht mehr gemacht hatte als alle anderen.

Worüber sollte sie jetzt schreiben? Am besten über etwas, das nicht da war, das sie vermißte, das war ein Tip von einem Englischlehrer am College gewesen: starke Gefühle, die an Dingen haftenbleiben, aus der ruhigen Entfernung der Erinnerung betrachtet. Der letzte Ausflug mit Josef und den Kindern vor einer Woche? Die Birkenblätter schon gelblich spröd und kalter Herbsttau auf den Wiesen, Farbnuancen, brauchbare Bilder, flüchtige Gerüche, und die Kinder ... Nein, daran wollte sie nicht denken, das war zu schmerzhaft. Außerdem war es schwierig, sich in dieser Hitze herbstliches Morgenfrösteln in den österreichischen Bergen vorzustellen.

Sie saß noch eine Weile vor ihrem Heft, starrte aus dem Fenster auf den Broadway, starrte verzweifelt Menschen ins Gesicht, die ihren Blick erstaunt erwiderten. Plötzlich gefiel ihr auch New York nicht mehr so gut. Was soll ich hier, fragte sie sich, ich bin hier überflüssig, und alles, was ich unternehme, ist überflüssig, lächerlich, hier zu sitzen und Papier mit Buchstaben zu bekritzeln, eine Allüre, sonst nichts.

Sie zahlte, winkte draußen ein Taxi herbei, Penn Station, sagte sie beim Einsteigen, ohne vorher überlegt zu haben, zu Lisa also, nach Boston, was sonst, wenn Lisa sie doch erwartete.

Zwei Stunden später saß Lillian im Schnellzug nach Boston. Die Bahnhöfe und menschenleeren Stationsgebäude der Kleinstadtbahnhöfe tauchten auf und verschwanden. Sie hatten Rye bereits hinter sich gelassen, Stamford wurde angekündigt, dann Bridgeport. Lillian betrachtete die Menschen, die ausstiegen und hier erwartet wurden.

Es war keine schöne Landschaft, durch die sie fuhren, zu weit vom Meer entfernt und weitab von den Städten, die sich nur in der Ferne am Horizont mit Hochhäusern und Industrieanlagen abzeichneten und in der Nähe in Parkplätze, Autofriedhöfe, Werkshallen und Rangierbahnhöfe zerfielen.

Lillian war ungeduldig: Sie wollte ankommen, sie wollte nicht mehr warten und ihren Hoffnungen und Ängsten ausgeliefert sein, ihren seit vielen Wochen ausgeschmückten Träumen, die einer nach dem anderen an der Wirklichkeit zerschellten, sie wollte alles, was mit Erwartungen befrachtet war, hinter sich bringen, das Wiedersehen mit Lisa, mit Alan, sie wollte endlich Fuß fassen, zur Ruhe kommen und aus der neuen Wirklichkeit neue Kräfte und neue Träume schöpfen.

Sie saß erst eine Stunde am Zugfenster und fror bereits. Eisige Luft strich an den Fenstern lang, gerann zu Kälteseen am Boden, fraß sich in ihren nackten Zehen fest, drang vor in den Körper. Ich bin übernächtigt, dachte sie und zog ihre erstarrten Füße auf den Sitz unter die Schenkel. Jedesmal, wenn sie mit den Kindern im Sommer nach Hause gefahren war, hatte sie an öffentlichen Orten und in privaten Häusern gegen Klimaanlagen gekämpft. Hatte es sie denn früher nicht gegeben, fragte sie sich manchmal, gab es Klimaanlagen erst, seit ihre Kinder, Claudine vor allem, sie nicht vertrugen? Claudine war oft wenige Stunden nach der Ankunft schon erkältet gewesen, spätestens nach der ersten Busfahrt, nach ein paar Nächten im Hotel. Schalt doch den Ventilator ab, hatte sie Bessie angefleht, du siehst doch, wie erkältet das Kind ist. Ein Ventilator schadet niemandem, hatte Bessie beharrt und sich trotzig das dünne weiße Haar vom Wind zerzausen lassen. Nachts, in Lisas Sommerhaus auf Cape Cod war Lillian zum Thermostat geschlichen und hatte die Temperatur der sommerlichen Wärme draußen angepaßt. Es war nicht immer leicht gewesen, Amerika und die Gewohnheiten und Bedürfnisse der Kinder zur Deckung zu bringen. Es gab Momente, in denen Lillian alles bisher unangezweifelt Selbstverständliche mit Claudines Blick, mit ihren europäischen Augen sah. Solange die Kinder klein waren, hatten sie einige Sommer bei Bessie gewohnt, und Lillian hatte gehofft, die Großmutter würde sich der Kinder annehmen und ihr ein wenig Freiraum geben, damit sie nach New York fahren und dort Bekannte besuchen und abends ausgehen konnte. Aber Bessie war, seit sie allein lebte, schwerfällig geworden, die wassersüchtigen Beine taten ihr weh, uralt und zänkisch war sie geworden, das Leben freute sie nicht mehr.

Ich habe zwei Kinder großgezogen, sagte sie, und zwei Enkelkinder. Das ist genug, diese beiden ziehst du selber groß.

In der amerikanischen Kleinstadt fiel es ihr schwerer, die Kinder zu beschäftigen, als in ihrer gewohnten Umgebung. Was machen wir heute? fragten sie jeden Morgen erwartungsvoll. Geht doch ein wenig hinunter in den Hof, schlug Lillian vor. Als Kind hatte sie viele Tage unten im Hof verbracht. Eigentlich war es kein Hof, sondern ein Graben zwischen zwei Apartmenthäusern, aber damals war es für sie ein Dschungel gewesen mit Sträuchern zum Verstecken und einem weichen Boden, in dem man graben konnte und wo im Frühling sogar ein paar Primeln wuchsen. Wenn sie jetzt vom Küchenfenster hinuntersah, wußte sie nicht mehr, was daran so abenteuerlich gewesen war, doch Claudine und Niki waren Kinder, sie würden es schon entdecken zwischen den Holunderschößlingen und dem hohen Unkraut. Aber sie kamen gleich wieder herauf: Da unten stinkt es, und lauter Glasscherben liegen auf dem Boden. Sie hatten recht, der Boden stank, zwischen dem farblosen Unkraut sickerte es schwarz aus Plastiksäcken in die feuchte Erde; die bleiche Vegetation dieser verborgenen Stadtwildnis nährte sich vom Abfall. Die eigene Kindheit war ein Traum, den sie nicht weitergeben konnte.

Claudine saß nachmittagelang vor dem Fernsehapparat, mit großen Tüten Chips, und schien auf nichts anderes zu warten als auf den Heimflug. Ich bin so müde, klagte sie, ich glaube, ich bin krank, ich will nach Hause.

Dann tu etwas dagegen, rief Lillian. Nimm dich zusammen, und mach das Beste draus, verdirb uns nicht den Sommer.

Fünfzehn Tage noch, morgen sind es nur mehr zwei Wochen, sagte Claudine und sah ihre Mutter herausfordernd an.

Hör auf, schrie Lillian gequält. Laß mich doch, um Gottes willen, mein Land genießen, du hast das deine immer und nimmst mir meines auch noch in der kurzen Atempause weg.

Zu Hause könnte ich radeln, erklärte Claudine.

Morgen leihen wir uns Fahrräder, versprach Lillian.

Doch in der Nähe gab es keine Fahrradwege, der Park war voller Scherben. Sie fanden einen kleinen, künstlichen See mit einem schmalen Weg herum, das Gras war hart und gelb, die Sonne brannte.

Es ist so heiß hier, klagte Claudine.

Das ist das Hudsontal und nicht Tirol, rief Lillian ungeduldig.

Das ist es ja! Claudine blieb fest bei ihrem Standpunkt, daß zu Hause alles besser war.

In kleinen Schattenpfützen hoher Platanen mit lichten Kronen saßen alte Leute mit Einkaufstüten zwischen den Füßen und dösten vor sich hin. Sie schienen darauf zu warten, daß die Hitze nachließ, daß der Tag verging, und Lillian gab ihrer Tochter insgeheim recht: Langweilig war es hier und ungemütlich in dieser Hitze.

Doch Lillian war voller Tatendrang, sie fühlte Kräfte, die sie selber überraschten, wie nach einem schweren, zähen Schlaf. Sie mußte ihre Kinder für dieses Land begeistern, es war schließlich auch ihr Land. So vieles gab es, das sie ihnen zeigen wollte, die Stadt, in der sie aufgewachsen war, das Meer, die große Stadt New York, die Einkaufszentren. Aber Claudine fand alle Häuser in der Kleinstadt häßlich.

Es stimmt ja, dachte Lillian, es ist gar keine richtige Stadt mehr, nur Schlaf- und Wohnstatt für Großstadtpendler. War sie in einem Nicht-Ort aufgewachsen, ohne dessen je gewahr zu werden, in einem Vorort, dem der Ortskern fehlte? Doch was war ein Ortskern? Eine Altstadt? Parkplätze breiteten sich aus zwischen den Häusern, man sah die Fundamente abgerissener Gebäude, dazwischen Holzhäuser mit baufälligen, weißgestrichenen Veranden, die den Zerfall der Stadt verschlafen hatten, Türen mit Fliegengittern, die in schiefen Angeln schlugen, einstöckige Zementhäuser ohne jeden Schmuck, ein Ort wie eine Halde, wo sich Aufgelassenes, Weggeworfenes ansammelte. Seit wann sah es hier so trostlos aus? Doch nicht seit ihrer Kindheit, und auch nicht erst, seit sie alles immer zugleich mit Claudines unbestechlich kritischen Augen betrachtete. Was war geschehen in weniger als zwanzig Jahren?

Es war nicht immer so wie jetzt, versuchte sie Claudine zu überzeugen und führte sie zur Main Street. Damals war hier, in dieser Seitenstraße, meine Schule, und da, wo jetzt der große Parkplatz ist, waren lauter kleine Geschäfte, die sind jetzt alle ins Shoppingcenter übergesiedelt, und hier, an dieser Ecke, war der *Icecreamparlour*, wo ich mit meinen Freundinnen in den Ferien jeden Nachmittag gesessen habe. Und draußen, vor dem Hydranten, standen die Burschen herum und hatten Scheinboxkämpfe und Kunststücke auf ihren Fahrrädern aufgeführt, um den kichernden, Eis essenden Mädchen drinnen zu imponieren. Sie sah sich selber in weißen Socken und weißem T-Shirt über den Shorts. Den *Icecreamparlour* gab es nicht mehr, aber der rotgestrichene Hydrant war noch da. Claudine und Niki fanden nichts Besonderes daran und wollten weiter, in den Zoo, zum Spielplatz, zum Vergnügungspark. Sie hatten recht, was sollten ihnen Lillians Erinnerungen schon bedeuten.

Bleibt doch zu Hause, sagte Bessie, immer seid ihr weg, bleibt doch bei mir, hier ist es wenigstens schön kühl! Muriel, rief sie aus der Küche, soll ich dir eine kalte Limonade machen?

Sie kam ins Wohnzimmer geschlurft. Hier, Muriel, trink deine Limonade. So alt bin ich und muß immer noch für euch sorgen.

Sie heißt nicht Muriel, das weißt du doch, sagte Lillian gereizt. Hör auf, sie Muriel zu nennen.

Und warum nicht? begehrte Bessie auf. Wer, bitte, hat in unserer Familie Claudine geheißen? Hast du mit Absicht deine Mutter übergangen?

Starrsinnig hatte das Alter sie gemacht, sie hörte schlecht, doch niemand konnte sie überzeugen, daß sie ein Hörgerät brauchte. Sie saß am Küchentisch und rief: Red nicht so leise. Sie stellte Fragen und verscheuchte jede Antwort mit einer Handbewegung. Und hast du was aus dir gemacht? klagte sie Lillian an.

Meine ganze Arbeit, mein Ehrgeiz, was hab ich nicht in dich hineingesteckt, die letzten guten Jahre! Berühmt hättest du werden können.

Lillian floh ins Bad, um nicht zu hören, wie es weiterging, daß sie am Ende nur dem Vater glich, einem Versager, der ihr Leben, der das Leben aller um sich herum auf dem Gewissen hätte. Und war sie nicht noch schlimmer als der Vater in Bessies Augen? Er hatte jedenfalls nicht aufgegeben. Und sie hatte den Traum zerstört, daß es in Amerika keine Schranken für Ehrgeiz und Begabung gebe. Sie war zurückgegangen zu Bessies Anfängen.

Als die Großmutter neben dem Ventilator döste, flüsterte Lillian ihren Kindern zu: Fahren wir weg, wir mieten uns ein Auto und fahren ans Meer, weit weg, ich zeige euch Amerika.

Sie fuhren nach Mystic, immer entlang der Küste. Manchmal verschwand das Meer zu ihrer Rechten, dann war es unerwartet wieder da, vereinte sich im Marschland mit kleinen Flüssen. Sie fuhren mit dem Auto über weitgespannte Brücken. Schaut da hinunter, rief sie, seht ihr die kleinen Boote? Wollen wir versuchen, ob wir in einem der Häuser ein Zimmer mieten können?

Es war nicht leicht, für Niki einen ruhigen Strand zu finden, an dem die Brandung mit ihren hohen stürzenden Wellen und ihrem Tosen ihn nicht schreckte. Aber sie fanden schließlich eine stille Bucht bei Falmouth, mit einem alten Haus voll altmodischer Möbel, direkt am Meer, am Ende einer Straße, die *Lands End* hieß. Es war der schönste Sommer seit ihrer eigenen Kindheit gewesen.

Beim Mittagessen saßen sie auf der Veranda eines

Restaurants unter dem Sonnendach, und Lillian brach großen roten Hummern ihre Panzer. Die Kinder waren ausgelassen und spielten zwischen den Tischen Fangen, und niemand forderte sie auf, sich ordentlich zu benehmen. Sie fühlte sich sicher an diesem Ort, zugehörig und glücklich, so als wäre sie im besten aller Träume angekommen, zu Hause, am Meer, und das mit ihren Kindern. Alles hatte sie bekommen, ohne etwas dafür hergeben zu müssen. Sie war so glücklich, daß sie nicht einmal an das Schreiben dachte.

Nach ein paar Wochen fuhren sie weiter, nach Sturbridge, nach Edaville, trieben sich tagelang in alten amerikanischen Folkloredörfern herum und kauften Souvenirs.

Ist das nicht kitschig? fragte Claudine.

Ist doch egal.

Sie gingen barfuß, körnigen Sand zwischen den Zehen, sie aßen jeden Abend bei Burger King, Lillian fühlte sich zwanzig Jahre jünger, es schien ihr manchmal, als wären diese beiden nicht ihre Kinder, sondern Spielgefährten, mit denen sie heimlich Unfug trieb, den die Erwachsenen mißbilligten.

Wir sollten bis zum Herbst hierbleiben, schwärmte Lillian, da sieht man meilenweit nur Rot und Gelb, das leuchtet, als ob der ganze Wald von hier bis Maine in Flammen stünde.

Im Herbst, stellte Claudine nüchtern fest, fängt zu Hause die Schule wieder an.

New Haven und New London lagen inzwischen schon zurück, bald kam Providence, die letzte Haltestelle vor Boston. Wenn ich die Kinder mitgenommen hätte, dachte sie, wäre ich nicht so losgelöst von jeder Wirklichkeit, dann hätte ich mehr Boden unter den

Füßen und diese Freiheit, in der ich schwebe wie in einer schrecklichen Gefahr, würde mich nicht so ängstigen.

Aber sie wußte, Josef würde ihr niemals erlauben, die Kinder mitzunehmen. Sie hatte nicht die Wahl gehabt, allein oder zusammen mit den Kindern nach Amerika zurückzugehen, nur die Wahl zu bleiben oder sie zurückzulassen. Beim Gedanken daran erinnerte sie sich wieder an die vielen Male, wenn sie am Ende eines Urlaubs nach New York gefahren war, direkt zum Flughafen, und wie jeder Bahnhof ihr nur mehr wie ein Wahrzeichen des Verlusts erschien, der unerbittlich näherrückte. Nahezu jedes Unglück hätte sie in Kauf genommen für einen Aufschub von einer Woche, ein paar Tagen, und jedes Jahr von neuem hatte sie sich geschworen: Diesmal fliege ich nicht zurück, ich werfe meinen Paß ins Meer, ich verpasse den Tag – und immer war sie pünktlich eine Stunde vor Abflug am Flughafen eingetroffen.

Wenn ich nur einen Monat hätte, dachte sie, in einem Gästezimmer mit Blick aufs Meer in einem dieser Dörfer, in einer Straße mit dem Namen *Ocean View* oder *Mount Pleasant* oder wie damals, *Lands End*, und hatte plötzlich ihres Vaters Satz im Ohr: Wenn ich nur einen einzigen Sommer hätte, um ungestört zu schreiben.

Boston kam näher, stand eine Weile als kompakte Skyline am Horizont, mit einzelnen herausragenden Gebäuden, die Lillian mit aufgeregter Wiedersehensfreude erkannte: Government Center, Prudential Tower, die weißen Kuben der Innenstadt, die sanft geschwungenen Wohntürme, in deren Glasfassaden sich der Himmel spiegelte. Dann lösten sich die klaren Konturen auf, je näher die Stadt rückte, ein Stück vom Hafen tauchte auf, ein Stück vom Meer, öliges dunkelgrünes Hafenwasser, feuchte Planken und ein rotes Transparent mit der Aufschrift *live lobsters*. In der geriffelten Bläue der Bucht dahinter stemmten sich Segelboote in den Wind, der sie an Land trieb, Flugzeuge, die direkt aus dem Wasser aufzusteigen schienen, blendeten auf ihrem steilen Flug. Dann verdeckten Brandmauern die Sicht, Hafenstraßen mit Rangieranlagen. South Station.

Wieder eine Ankunft, doch diesmal ohne die Erwartung, daß jemand ihretwegen auf dem Bahnsteig stand.

Sie wäre gern gleich in der Stadt geblieben, durch die engen Straßen des Geschäftsviertels zum Boston Common hinaufgegangen oder vielleicht hinunter zum Hafen, um irgendwo eine Weile lang allein zu sitzen und zu warten, bis zu den Bildern Wörter kommen und sich wie frei schwebende Partikel an sie binden würden.

Wo sonst sollte sie wieder schreiben, wenn nicht in dieser Stadt, in der sie ihre sorglosesten, produktivsten Jahre verbracht hatte? Hier, am Nordrand der Stadt, war sie aufs College gegangen, zum erstenmal weg von zu Hause, weit weg vom Vater, dessen kalte, kritische Zurückhaltung sie gelähmt hatte. Nie wieder habe ich so intensiv gelebt, hatte sie später oft gesagt, so hektisch, atemlos vor Angst, das Leben zu versäumen. Sie hatte später bedauert, daß sie sich damals so wenig Zeit genommen hatte für die Stadt, sie war nur Hintergrund geblieben, etwas, das immer da sein würde, auch später noch, wenn sie die Ruhe hätte, sich ihr zuzuwenden. Trotzdem war gerade diese Stadt mit ihrem permanenten Meergeruch, in der aus den verwinkelten, buckligen Straßen einer europäischen Kolonialstadt im Lauf der Zeit Schluchten mit Wolkenkratzern gewachsen waren, in ihrer Erinnerung noch so lebendig, daß sie überzeugt war, jedes Detail wiederzuerkennen, Straßenschilder, Fassaden, Toreinfahrten, U-Bahn-Stationen und Cafés. Sie glaubte sogar, sich noch zu erinnern, auf welchen Plätzen zu welchen Tageszeiten die Sonne geschienen hatte. Sie hätte sich gern ohne Aufschub überzeugt, ob alles noch so war wie früher, die Schäbigkeit der Straßen von Chinatown und des *Theatre District* mit seinen Huren auf dem illegalen Strich, ein Viertel, dem keine Galapremiere die zwielichtige Verkommenheit hatte nehmen können. Und ob in der Allee entlang Commonwealth Avenue immer noch jene unerklärliche Atmosphäre eines Frühlingsabends hing; ob in den Souterrains der Backsteinhäuser entlang Newbury Street noch Hippie-Galeristen hausten oder ob, wie an den Orten ihrer Kindheit, jetzt alles anders geworden war. Sogar die Nachmittage in der *Public Library* erschienen ihr später wie ein Überfluß an kostbaren unzensierten Stunden. Dort, dachte sie, werde ich schreiben, in der Stille des Lesesaals, angespornt vom konzentrierten Ernst der anderen Leser ... Doch dort, auf den Stufen der *Public Library* hatte sie an einem Nachmittag im März Hals über Kopf beschlossen, daß jeder weitere Tag in dieser Stadt, mit diesem Studium, eine Vergeudung ihres kostbaren Lebens sei, sie müsse weg, zu Josef, nach Wien, und zwar sofort, bevor noch weitere Tage, Monate, womöglich Jahre in düsteren Lesesälen lebensfeindlichen Bücherbergen zum Opfer fielen.

Bei ihren hektischen Versuchen, das Leben einzufangen, in seiner reinsten, intensivsten Form und auf schnellstem Weg, hatte sie es schon oft verfehlt. Aber sie wollte ja, nach Bessies Rezept, so rasch sie konnte, Erfahrung sammeln, um sich dann mit ihrem Besitz zurückzuziehen, ihn zu zerlegen, zu sichten und gewinnbringend in Sprache anzulegen. Es war ihr nur bisher noch nie gelungen, denn wenn sie gelebt hatte, war keine Zeit fürs Schreiben geblieben, und in den Pausen, dazwischen, war sie wie gelähmt, die Bilder, die sie gesammelt hatte, berührten sie nicht mehr; verständnislos, verlegen um die richtigen Worte, stand sie vor den Gefühlen, die einmal ihre eigenen gewesen waren. Es war noch nicht das Richtige, hatte sie sich gesagt, es war noch nicht genug.

Plötzlich hatte sie das Bedürfnis, vorerst zu Lisa nach Cambridge zu fahren. Boston konnte sie später noch besichtigen. Jetzt sehnte sie sich nach einem Menschen, der sich endlich, nach den ermüdenden Etappen der Ankunft, über ihre Rückkehr freuen würde, nach einer Wohnung, wo sie ihren Koffer abstellen, vielleicht auspacken konnte, und danach mit jemandem zu reden. Sie war todmüde. Die Zeit, in der ihr Körper leben wollte, gab es nicht. Es war halb sechs. Erst in ein paar Tagen würde sie sich an den neuen Lebensrhythmus gewöhnt haben.

Sie war direkt am Bahnhof in die *subway* umgestiegen. Nur kurz hatte sie ohne den Schutz getönter Fensterscheiben die Helligkeit der Sonne wahrgenommen. Die ersten Pendler fuhren von der Arbeit hinaus in irgendeine Vorstadt, genauso müde wie sie, fahle Gesichter, sie saßen da wie in sich selbst zurückgefaltet, als frören sie. So werde ich enden, hatte sie früher, als Studentin, gedacht, so wie alle andern, mit einem

Job von neun bis fünf, der Wohnung außerhalb und einer Bahnlinie dazwischen wie eine Nabelschnur. Die Vorstädte mit ihren Shopping-Zentren, Bankfilialen und Wäschereien übten schon damals einen Sog aus, der junge Frauen mit College-Abschluß aus dem Leben holte und in die lautlose Langeweile endloser Vormittage in Supermärkten und stillen Vorstadtstraßen trug. Sie hatte es bei Freundinnen erlebt, jungen Frauen in ihrem Alter – und schon damals von ihren Müttern kaum mehr zu unterscheiden. Vor diesem Alptraum war sie geflohen, weit fort, nach Europa, als wäre Entfernung eine Garantie gegen die Gewöhnung an zu wenig Leben, gegen die lautlose Verzweiflung über vergeudete Jahre.

Sie saß auf ihrem Platz, so unbeachtet, als wäre sie unsichtbar, und betrachtete die Gesichter, deren Augen ins Leere gingen. Der Überdruß am Ende eines Arbeitstages, der in den grauen Schatten der Gesichter lag, drückte sich bei diesen Menschen anders aus als in Europa. Aber der Unterschied war schwer zu fassen, und sie war noch zu unbeteiligt, um sich einzufühlen. Wovon man reden durfte und was man verschwieg, war anders, ebenso, was man geduldig ertrug und was man unzumutbar fand, wieviel man von sich preisgab und was man vom Leben erwarten durfte. Ich werde mich schnell wieder daran gewöhnen, tröstete sie sich, es war mir schließlich alles schon einmal vertraut, bald werde ich wieder klarer fühlen können, ohne die störenden Einmischungen meines anderen Ichs.

Sie betrachtete ein junges Mädchen, die großen schwarzen Augen, die Haut ein helles Braun, das spröde krause Haar. Wie schön sie war! Die junge Frau erwiderte ihren Blick mit haßerfüllten Augen und stand auf. Beim Aufstehen beugte sie sich zu Lillian vor und zischte: Paß auf, sonst fallen sie dir aus dem Kopf. Dann blieb sie am Ausgang stehen, ohne an den nächsten Stationen auszusteigen, den Rücken Lillian zugewandt. Sie hatte Lillians unverwandten Blick, der sie behelligte, nicht mehr ertragen können, und Lillian schämte sich, sie wagte nicht mehr aufzublicken, sie war im Unrecht. Habe ich die einfachsten Regeln schon verlernt? fragte sie sich. Daß es die größte Ungezogenheit ist, Leute anzustarren? *Misfit*, dachte sie. Und zum erstenmal fiel ihr kein deutsches Wort mehr dafür ein. Fehlte ihr sogar in ihrem eigenen Land schon das Geschick für Menschen?

Es war Jahre her, daß sie bei einer ähnlich ungeschickten Annäherung zurückgewiesen worden war. Wie halten Sie das aus, hatte sie die Kassiererin im Supermarkt gefragt, tagaus, tagein das stumpfsinnige Dröhnen der Volksmusik, das Preisetippen, das Weiterschieben der Lebensmittel mit der linken Hand, ein halbes Leben an derselben Stelle, wie kann man das ertragen? Was wollen Sie von mir, hatte die Frau zurückgefragt, Mißtrauen und Empörung in den Augen, was geht Sie das an? Und Lillian war errötet, Entschuldigung, es geht mich gar nichts an, ich meinte nur. Sie hatte von da an das Geschäft gemieden und Unbekannte nie mehr mit persönlichen Fragen belästigt. Das war in ihrem ersten Jahr in Wien gewesen. Damals hatte es sie noch geärgert, daß man Fremde hemmungslos anstarren durfte, während eine einfache, teilnahmsvolle Frage ein Vergehen war.

Die Bahn tauchte empor, in die Stadtlandschaft zurück. Der Charles River lag in der Abendsonne, mit grünen Uferbänken und Segelbooten, die sich nicht bewegten. Der breite Fluß, die grünen Ufer wirkten auf sie wie eine gemalte Landschaft, unwirklich und fern. Die anderen, die hier sitzen, dachte sie, brauchen sich nicht zu fragen, ob es richtig ist, daß sie hier sind und nicht anderswo, daß sie in dieser Stadt leben, sie brauchen sich auch nicht zu überlegen, wie es wäre, wenn sie diesen Fluß nie wiedersähen, wenn sie aus ihrem Alltag fielen und es nichts mehr gäbe, womit sie fest rechnen könnten. Sie hatte also doch noch nicht sehr viel mit ihnen gemeinsam.

In Lisas Straße war es still wie auf dem Land, die Häuser vornehm mit weißen Holzverschalungen und strengen, von Säulen flankierten Eingangstüren, die versengten Rasenflächen lagen im Schatten der Allee, Kolonialhäuser für den Mittelstand, in kleine Junggesellenwohnungen aufgeteilt und bei Tage so still, daß man die Blätter rascheln hörte. Alle lebten hier parallel das gleiche Leben, sie kannten einander oberflächlich, gingen morgens fort und kamen abends heim, liefen in Turnschuhen um das Viertel, duschten, gingen wieder fort und kehrten spät nach Hause zurück. Nur manchmal, nachts, im Sommer, hörte man Partylärm, nach Mitternacht das Schlagen von Autotüren, Gelächter. Ein gutes Leben, dachte Lillian, ein Leben ganz für sich.

Im Lauf der Jahre hatte sie Lisa immer öfter um dieses selbstgenügsame Leben beneidet. Die Schwester hatte nie geheiratet und schien nichts zu vermissen. Sie arbeitete in der Verwaltung eines Privatcolleges, verdiente gut, hatte ein Haus auf Cape Cod, wo sie ihre Ferien verbrachte. Seit sie erwachsen waren, hatte Lillian die Schwester nie trösten müssen, Lisa hatte nie Rat gesucht. Sie schien zu wissen, was sie wollte, und was sie anstrebte, ging nie über ihre Kräfte. Sie würde keine Geduld aufbringen für lange Gespräche über unerreichbare Ziele, aber vielleicht ließ sich Lillians verfahrenes Leben mit ihrer Hilfe ordnen. Als sie um halb sieben an ihrer Haustür klingelte, war Lisa noch nicht zu Hause. Lillian setzte sich auf die Stufen vor der Tür, bemüht zu denken, sie sei angekommen. Die Blätter über ihr bewegten sich im Wind, hell an der Unterseite, ein leichter Geruch von Herbst und Moder strich an ihr vorbei. Sie fröstelte und fühlte sich erschöpft, aber sie sagte sich, ich bin am Ziel, Lisa ist meine Schwester, die einzige Verwandte in diesem Land. Ihr Magen knurrte, sie kam sich wie eine Bettlerin vor, als sie ein kleines Stückchen von dem Kuchen abbrach, den sie für Lisa aus Europa mitgebracht hatte. Der Kuchen war fast aufgegessen, als sie im Zwielicht Lisas Schritte hörte, schwer, gleichmäßig, beständig. Lillian erhob sich und versteckte den Kuchenrest in ihrer Tasche, sie spürte, wie sich Furcht in ihre Freude mischte. Denn Lisas Nahen verlangte Optimismus, ihr Schritt verkündete den Willen, alle Hindernisse zu überwinden, und Lillian war sich nicht sicher, ob ihre Kraft dazu ausreichen würde. Lisa würde Taten fordern, ein Programm, und daß etwas voranging, ohne Zögern, und wenn ein Vorhaben nicht gelang, dann fort mit Schaden, ohne Selbstmitleid, und gleich mit etwas Neuem beginnen, bevor die Lähmung um sich griff.

Hi there, rief Lisa mit ihrer schönen tiefen Stimme schon von weitem. Als sie sich umarmten und Lisas fülliger Körper sie umfing, löste sich Lillians Spannung. Wie herrlich, endlich anzukommen, seufzte sie erleichtert.

Er hat mich am Nachmittag angerufen, berichtete Lisa sachlich. Er war besorgt, ob jemand dich vom Bahnhof abholen würde. Ich habe ihm gesagt, das schafft sie schon allein. Wie fühlst du dich?

Jetzt, im Augenblick, großartig, aber heute, früher, auf der Fahrt...

Dann ist es ja gut, unterbrach sie Lisa, morgen sehen wir weiter.

Ich will kein Leben bloß für den Augenblick, ich will ein Leben als Entwurf, dachte Lillian, aber sie widersprach nicht. Sie sah, daß Lisa müde war. Anfang September war die Zeit der Inskriptionen, und Lisa arbeitete zehn Stunden am Tag und mehr. Ein, zwei Wochen noch, versprach sie, dann hab ich Zeit, dann treffen wir uns nach der Arbeit in der City und gehen aus, dann fahren wir Äpfelpflücken nach New Hampshire, du wirst sehen, wir machen es uns schön, mit oder ohne Alan. Du sollst ihn morgen früh anrufen.

Am nächsten Morgen saß Lillian, kaum daß Lisas Schritte sich um halb acht entfernt hatten, wartend vor dem Telefon.

Sie versuchte, sich eine Wohnung vorzustellen, die sie nicht kannte, sich ihr langsam zu nähern durch die stillen Straßen Lexingtons, des Villenviertels im Norden Bostons mit seinen großen Gärten und schattigen Alleen. Warum er ausgerechnet in Lexington wohnte, fragte sie sich, und ging in Gedanken vor einem Haus mit geschlossenen Vorhängen auf und ab. Ob er allein dort lebte?

Er hatte sie über seine Karriere immer im unklaren gelassen, aber es schien, als ob er nirgends länger als ein paar Monate engagiert gewesen war. Von Zeit zu Zeit hatte er ihr begeistert berichtet, er sänge nun den

Tamino oder den Leporello, aber einige Wochen später, wenn sie am Telefon danach fragte, gestand er kleinlaut, nein, daraus sei nichts geworden. Im letzten Winter, in New York, hatte er, ohne sie vorher zu fragen, Karten für ›Peter Pan‹ gekauft. Ich mag Musicals nicht, hatte sie protestiert, schon gar nicht Musicals für Kinder, wenn ich kein Kind dabeihabe. Leute, die ich gut kenne, singen mit, erklärte er, und am selben Nachmittag waren sie in ein Musikgeschäft gegangen, wo er sich Noten gekauft hatte. Was hast du dir gekauft? wollte sie wissen.

Ach, nichts, bloß was zum Üben.

Aber sie hatte die Titel gesehen, es waren populäre Musicals, und sie entschuldigte sich schnell, natürlich habe sie nicht grundsätzlich etwas gegen Musicals. Vor allem nicht, wenn du mitsingst. Er warf ihr einen kurzen Blick zu, ironisch und verletzt.

Sie ließ den Vormittag vergehen, die Aufregung verebbte, die Vorfreude wurde flach. Ich rufe nur an, damit es endlich anfängt oder aufhört, dachte sie, und doch donnerte das Blut in ihren Ohren, als sie das Freizeichen und seine Stimme hörte, seine verschlafene Stimme, die sie nicht mochte, weil sie wie die eines Betrunkenen klang.

Wie spät ist es? fragte er in anklagendem Ton.

Nach elf, entschuldigte sie sich.

Ich bin spät heimgekommen.

Er war ein Fremder, den sie rüde aus dem Schlaf gerissen hatte, er war noch nicht bereit, mit ihr zu reden.

Ruf mich in einer Stunde an. Er legte grußlos auf.

Gegen Mittag, als sie vor die Haustür trat, die Zeitung und die Post zu holen, schlug ihr die schwüle

Hitze eines Spätsommertags entgegen. Ein Tag zum Baden, ein Tag, am Strand zu liegen, ein langer Sommertag, der halb vergangen war, der nicht vergehen wollte, sie hatte kein Interesse an diesen Stunden, die durch das Warten quälend wurden. Seit vielen Monaten schon war ihr Zeitsinn verwirrt. Sie war daran gewöhnt, und auch daran, jederzeit innezuhalten und zu horchen: Hatte es im Telefon geknackt, so wie es in der Leitung klickte, wenn ein Anruf aus Amerika kam? War es der Eilbote, der unten klingelte? Mehrmals am Tag lief sie hinunter, um nach der Post zu sehen, und suchte sich in ihrer hoffnungsvollen Hast vergeblich gegen die Enttäuschung zu wappnen, sagte sich, heute bestimmt nicht, warum auch heute, und dachte zugleich, es muß heute sein, wie soll ich einen weiteren Tag ertragen? Doch selbst vorweggenommene Enttäuschung enthielt noch zuviel Hoffnung, sie ließ sich nicht beirren in ihrer Suche nach dem Kuvert, das sie sofort erkennen würde, vielleicht lag es zwischen den Prospekten, oder hatte der Briefträger ausgerechnet den blauen Luftpostbrief vergessen und kam gleich noch einmal wieder? Oder lag er unter der Post der Nachbarn? Sollte sie unten warten und die Nachbarn fragen? Und jedesmal, wenn sie nach oben ging, breitete sich eine kalte Leere in ihr aus wie eine Brandstatt, in deren Trümmern sie eine Zeitlang saß, betäubt und tatenlos und ohne Hoffnung, bis sich am frühen Nachmittag die unbelehrbare Erwartung wieder regte und auf den nächsten oder den übernächsten Tag verwies. So waren fast zweihundert Tage hingegangen, und nur an wenigen hatte das Warten sich gelohnt. Aber auch das Wissen, daß sie vielleicht in absehbarer Zeit nicht einen Funken mehr aus diesem Feuer schlagen würde, hatte sie nicht getröstet.

Nun war die Wartezeit auf Stunden geschrumpft, die sie achtlos vergeuden konnte, es kam auf diese Zeit in ihrem Leben nicht mehr an.

Um ein Uhr rief sie wieder an. Wann sehen wir uns, fragte sie schnell, bevor sie abgewiesen werden konnte.

Seine Stimme war kühl, geschäftlich: Heute abend?

Heute schon? Sie fühlte sich überrumpelt, als hätte sie noch Vorbereitungszeit gebraucht. Wann?

Sag eine Zeit.

Nein, sag du eine Zeit. Sie fürchtete, jeder Vorschlag käme ungelegen.

Um sieben.

Um sieben also. Sie war bereit. Schon um halb sechs wäre sie bereit gewesen. Und um halb acht, als Lisa heimkam, sah sie noch immer auf die Uhr.

Er läßt dich warten? fragte Lisa und sah sie an, als wäre dies ein böses Omen. Was du dir antun läßt, rief sie empört.

Jetzt kommt es nicht mehr darauf an, erklärte Lillian, nichts war geblieben als ihr angespannter Wille, den Abend heil zu überstehen. So nutzlos war der Tag vergangen, daß sie vergessen hatte, wie.

Hast du gegessen? fragte Lisa.

Ich glaube, ja, antwortete sie zerstreut. Der Koffer lag geöffnet vor dem Bett, und sie war in der Wohnung herumgegangen, zu ruhelos, um irgend etwas zu beginnen.

Und trotz der vielen Wartestunden zuckte sie zusammen und wollte einen Aufschub, als er vor der Tür stand, sie hatte es sich so oft vorgestellt, daß sie nicht wußte, wie sie ihm begegnen sollte. Denn jedesmal von neuem stand er vor ihr als Fremder, den man nicht berühren durfte und der halb abgewandt und schon im Gehen grüßte, als wäre das Wiedersehen nicht etwas von beiden Herbeigesehntes, sondern alltäglich wiederkehrende Gewohnheit. Er ist verlegen, dachte sie, er ist zu schüchtern, und sie versuchte, die Verlegenheit hinwegzureden, sie gab sich kühl und sachlich, fragte wie eine flüchtige Bekannte nach seiner Arbeit, vermied es, seinen Blick zu suchen, fast schroff war sie aus Furcht, ihn zu bedrängen.

Was er gemacht habe in letzter Zeit, fragte sie ihn, und fügte schnell hinzu, beruflich. Sie spürte seinen vorsichtigen Blick aus den Augenwinkeln und sah geradeaus, als müsse sie ihn wie ein scheues Tier erst langsam zähmen. Fast unerträglich war der Griff, mit dem sie sich zurückhielt, fast unerträglich das Warten auf den Augenblick, in dem er sagen würde, genug der Farce, hör auf mit dem Theater. Wie hatten sie beim letzten Mal den Übergang geschafft? Durch eine Berührung oder durch ein Wort?

Sie saßen längst an einem Tisch einander gegenüber und redeten von seinem Urlaub in den Rocky Mountains und hatten noch immer nicht zurückgefunden zu jener Nähe der letzten Stunden vor dem Abflug im Januar, an der sie festgehalten hatte wie am Ende eines Seils, das sie verband. Erinnerte er sich nicht mehr an den milden, regnerischen Nachmittag auf der Promenade am East River? So nahe war er gewesen, daß sie durch ihren Mantelstoff die Schwingungen seiner Stimme gegen ihre Rippen spürte, wenn er sprach. Erinnerst du dich nicht, wollte sie fragen und wagte es nicht, es lag Distanz in seinen Augen, ein Nichterkennenwollen, hinter dem er sich verbarg.

Und auch, als sie von ihr sprachen und er ihr Kommen seinetwegen anerkannte, ja, er freue sich, daß sie nun da sei und nicht mehr fortmüsse wie im Winter, er habe sich so oft nach ihr gesehnt und sich erinnert an das letztemal, und auch an damals in Salzburg, als sie in der Zimmertür vor ihm gestanden sei, hier bin ich, als sei ihr Kommen das Selbstverständlichste der Welt – auch da lag diese Weigerung noch in seinen Augen und eine Trauer, als spräche er von etwas Unwiederbringlichem.

Sie hatte Angst. Verschwieg er etwas, das sie trennen konnte? In überstürzter Hast schnitt sie die Themen an, die eine Brücke schaffen sollten, die alten Themen ihrer Briefe und früheren Gespräche, als müsse sie überprüfen, ob die Ideen noch zueinander paßten, die Überzeugungen noch hielten. Vorsichtig reichte sie ihm die Gedanken, die Erkennungssätze, spürte mit ihren angespannten Nerven, daß sie zündeten, und spürte, wie die Begeisterung Gleichgesinnter sie erwärmte. Reden konnten sie. Nur schweigen war nicht möglich. Sobald sie schwiegen und sich ihre Blicke trafen, sah er weg, an ihr vorbei, und die Verlegenheit des Schweigens wurde unerträglich.

Bald, dachte sie beklommen, werden wir über alles, was uns nicht betrifft, geredet haben. Und was dann? Wie lange können wir einander so vermeiden? Wenn das Gespräch erschöpft ist, bleibt dann nichts zu sagen?

Sie aßen schnell, als säßen sie zusammen, um zu essen, als wären sie in Eile, als müßten sie noch weitere Geschäfte erledigen vor der Nacht. Sie zahlten getrennt, er stand als erster auf.

Gehen wir, drängte er.

Wohin? Sie wagte nicht zu fragen, stand folgsam auf, ging hinter ihm hinaus, ohne zu spüren, wie sie ging, ohne sich selbst zu spüren, als wäre sie in Isoliermaterial verpackt, luftdicht umhüllt gegen die unvermeidliche Enttäuschung, trunken vor Betäubung.

Es wurde dunkel, sie gingen tiefer ins Zwielicht des Parks hinein, berührten einander an den Händen, zufällig erst, rückten zusammen in die gewohnte Nähe, fanden die vertrauten Berührungen wie heimliche Erkennungszeichen, und Lillian atmete behutsam auf.

Von einer Brücke aus sahen sie die Fensterfronten der Bürogebäude von Boston erleuchtet. Die arbeiten noch alle, sagte sie, während wir nichts tun und im Park spazierengehen. Wir und die anderen: Mit der Komplizenschaft, die sie heraushob und abseits stellte, hatten sie begonnen.

Während wir hier sind und die Welt bereichern, sagte er, und sah sie an, zum erstenmal an diesem Abend, ohne ihrem Blick sofort wieder auszuweichen. In seinen Augen lag der Spott, den sie an ihm liebte, die Ironie, die nicht verletzend war, weil sie sich selber einbezog: Indem ich singe und du schreibst. Und dann, sagte er mit gespieltem Pathos, wenn du berühmt geworden bist, wirst du mich verlassen.

Niemals, rief sie, bemüht auf seinen Tonfall eines komischen Melodramas einzugehen, aber es machte ihr keinen Spaß, sie fühlte sich verhöhnt.

Ein Flugzeug zog einen ausgefransten Streifen in den verwaschenen Abendhimmel. Kein Abschied mehr, sagte sie vorsichtig, es klang wie eine Frage.

In sein Gesicht trat wieder der ängstliche, gespannte Ausdruck, der sie von sich wegschob wie ein Hindernis. Sie gingen zögernd weiter, wie um Zeit zu gewinnen, als stünde noch nichts fest. Dann fuhren sie in seinem Auto langsam, ziellos durch die Stadt, vorbei am Hafen, wo sie durch das geöffnete Fenster das Wasser träge an die Hafenmauern schwappen hörten. Das Schweigen zwischen ihnen war kalt und quälend, das bißchen Wärme von vorhin längst abgekühlt und aufgebraucht. Nichts war entschieden, der nächste Augenblick, sogar das nächste Wort war unvorhersehbar.

Ich kann dich nicht mit zu mir nehmen, ich wohne bei Freunden.

Er hatte ausgeholt zu diesem Satz wie zu einem überlegten Schlag, der die Entscheidung bringen mußte. Ihr Schweigen war ein trotziges Sichstemmen gegen jede weitere Erklärung. Mit Fragen konnte sie verlieren, sie warf sich rücksichtslos nur auf den nächsten Augenblick, entschlossen, jede Ungewißheit zu ertragen. Von einem 24-Stunden-Laden rief sie Lisa an: Kannst du heut abend ausgehen, bat sie, bis Mitternacht? Natürlich, sagte Lisa, bis morgen früh, ich übernachte bei meinem Freund.

Ich muß dir etwas sagen, begann er zögernd, als sie sich in Lisas Wohnzimmer gegenüberstanden.

Ich will nichts hören. Sie verschloß ihm den Mund mit Küssen. Später, dachte sie, wenn es das Ende ist, kommt es noch früh genug.

Ist es für dich wie früher, fragte er, hat sich für dich nichts geändert?

Sie schüttelte den Kopf und wagte nicht zu fragen, und du, wie ist es bei dir?

Er sah sie an, ungläubig, verwundert, als sei ihre Beständigkeit etwas Erstaunliches: Es ist mehr als ein halbes Jahr. Ein wenig ratlos wiederholte er: Ein halbes Jahr ist lang.

So greifbar lag das sanfte Ende jetzt in seinen Augen, die Furcht ihr weh zu tun, daß sie sich zornig davor verschloß.

Ich muß dir etwas sagen, begann er zögernd.

Jetzt nicht, rief sie, ich will nichts hören, sag es nicht.

Es ist nichts Böses, ich weiß, ich könnte mit dir leben, wahrscheinlich nur mit dir, aber...

Ich will kein Aber hören!

Er verstummte vor der Panik in ihrer Stimme, gab auf, fragte nur nachgiebig: Warum?

Weil ich zu feige bin. Den Aufschub, diese Nacht, hatte sie gewonnen, sie spürte, wie er nachgab, erleichtert, daß sie ihn überredet und eine Last von ihm genommen hatte. Doch ihr blieb die Trauer, die auch, während sie sich liebten, nicht wich, sie saß in ihr wie ein gefaßtes Schweigen vor der Trennung. Alles, was noch geschehen, was sie vielleicht noch erzwingen konnte, würde ein langer Abschied sein. Sie war bereit, sich auf jede Bedingung einzulassen für einen Aufschub.

Spät in der Nacht standen sie in Lisas Küche wie zwei Freunde, die sich die Wohnung teilten, nicht wie ein Paar. Sie redeten behutsam miteinander, als gelte es, Schmerzzonen zu vermeiden, als tasteten sie sich entlang der Grenze von etwas Unberührbarem. Eine schmale, aber unüberbrückbare Distanz verbot ihnen Berührung.

Du könntest bleiben, bot sie vorsichtig an, Lisa kommt heute nacht nicht nach Hause.

Nein, rief er barsch, ich kann nicht bleiben, ich muß nach Hause.

Sie fragte nicht, warum, sie dachte an die Zeit, als sie vor Josef lügen mußte und sie sich beide gewünscht hatten, sie hätten eine einzige ganze Nacht zusammen, bis zum Morgen. Damals hatten sie geglaubt, sie müßten jedes Risiko eingehen, um den Augenblick des Auseinandergehens hinauszuzögern, und sei es nur um Stunden. Jetzt hatten sie endlich Zeit, grenzenlos Zeit, ein ganzes Leben Zeit, und er zog sich eilig an, küßte sie schnell mit einem spitzen Kinderkuß und rief ihr von der Tür her zu: Wir telefonieren morgen.

Die Zeit verwischte sich, verlor Bedeutung, manchmal schien sie lange stillzustehen, sie tickte leise, summte mit dem Kühlschrank in Lisas Küche. Dann setzte sie ruckartig wieder ein, erschüttert vom schrillen Klingelton des Telefons, das Lillians Tag in zwei ungleiche Hälften teilte, in Auftauchen und Versinken, Auftauchen in einen Tagesablauf, der wie von fern an ihr vorbeizog, und das verstohlene Vertauschen der Gegenwart mit der Erinnerung.

Manchmal rief sie in Alans Wohnung an, die sie nicht kannte. Nie würde sie erfahren, wo er wohnte, und indem sie anrief, überschritt sie schon die erlaubten Grenzen. Er rief sie täglich an, und immer klang seine Stimme, als verschenke er kostbare Minuten zwischen wichtigen Beschäftigungen, redlich um sie bemüht. Er schenkte ihr, was ihm der Alltag übrigließ, es war nicht viel, manchmal nur kühle Worte, manchmal noch Sätze, die versprachen, was folgenlose Stunden langsam wieder löschten. Immer war er in Eile, vertröstete, versprach, beteuerte, verschob auf später, ließ alles offen, während sie vorsichtig mit halb ausgesprochenen Forderungen drängte.

Lisa geht heute abend aus…

Ich muß jetzt gehen, höchste Zeit, bis später.

Bis wann?

Ich muß zur Probe, ich weiß nicht, wann sie aus ist.

Rufst du später an?

Ich weiß nicht, hör zu, ich bin in Eile.

Was singst du?

Nichts, was dich interessieren könnte, nur eine Rolle in einem Musical. Er summte ein paar Takte vor sich hin, lachte verlegen: So ähnlich klingt es.

Singst du mir wieder einmal…

Hör zu, ich muß jetzt gehen.

Bis wann?

Bis später.

Ich muß es wissen, ich gehe aus, log sie.

Wenn es die Zeit erlaubt.

Die Zeit erlaubte wenig, sie war streng und mächtig und hielt ihn von ihr fern. Die Zeit lag wie ein Riegel zwischen ihnen und unterwarf sie beide ihrer Herrschaft. Doch seine Zeit war nicht die ihre, und während seine schrumpfte, wuchs die ihre an.

Der Inhalt ihrer Sätze wurde immer belangloser und austauschbarer. Er verbarg zuviel vor ihr, und sie erfand zuviel, was es nicht gab.

Sag, wann du wieder anrufst, forderte sie, ich kann nicht immer warten. Willst *du* mich denn *nicht* sehen, fragte sie.

Es gab keine Gespräche mehr, nur Ausflüchte und Lügen. Sie hatten sich verschanzt in einem Grabenkrieg, und keiner nannte die Bedingungen der Übergabe. Sie waren Feinde, Unterhändler im Handel um Liebe, doch jedem war der Preis zu hoch, auch wenn sie ihn nie offen nannten.

Liebst du mich denn nicht mehr?

Natürlich, wie kannst du fragen?

Sie mißtraute ihm. Sie schloß die Augen und zwang sich, ihm zu glauben, fest und verzweifelt wie ein Kind.

Einmal kam er unerwartet vorbei, die Bremsen seines Autos quietschten in der stillen Straße, die Tür fiel leise zu, er blieb drei Stunden.

Danach hörte sie Kassetten mit seiner Stimme, erstaunt von ihrer Fähigkeit zu leiden. Indem er sich entzog, verkam er ihr zum Fetisch und zur Sucht.

Sie wäre gern aufs Land mit ihm gefahren, ans Meer. Einmal bat sie ihn darum mit einem halben Satz, den sie schnell wie eine ausgestreckte Hand zurückzog. Die Zeit ließ es nicht zu. Daran ließ sich nicht rütteln, es war nicht ihre Zeit, die sie aus seinem Leben drängte, eifersüchtig, herrisch und unerbittlich und, wollte sie ihm Glauben schenken, gegen seinen Willen. Konnte sie hoffen, daß später einmal, vielleicht schon bald, ihn eine mildere, nachsichtigere Zeit regieren würde? Er sagte, so ist das Leben hier in Amerika, so ist es, wenn man versucht, Karriere zu machen.

Ja, wenn ich soviel Zeit hätte wie du, spottete er.

Auch sie sei beschäftigt, beteuerte sie und versteckte ihren Leerlauf, die totgeschlagenen Stunden ihrer Tage hinter erfundenen Besuchen und Erledigungen.

Lisa drängte Lillian zu Entschlüssen, fragte: Wie lange noch, worauf wartest du? Wer wirklich liebt, der hat auch Zeit, wach endlich auf, er liebt dich eben nicht mehr.

Es ist doch erst ein halbes Jahr vergangen, verteidigte sich Lillian.

Ein halbes Jahr war eine lange Zeit, das wußte sie,

und doch nicht lang genug für den Entschluß, ein Leben abzubrechen. Und welcher Zeitraum reichte aus, daß einer rechtens aus der Liebe fallen konnte? Minuten reichten aus, das wußte sie, ein falsches Wort, ein Blick von einer anderen.

Die Tage kamen und vergingen, das Wochenende ging ungenutzt vorbei, sein Leben, das er vor ihr verbarg, hielt ihn im Griff. Sie führten keine Gespräche mehr, dafür verschwiegen sie zuviel, sie teilten nicht mehr miteinander als ihr zähes Ringen um die Bedingungen der Liebe. Lillian bemühte sich verzweifelt ruhig und angespannt, jegliche Frage zu vermeiden, die auf Wahrheit drängte. Doch in ihren Sätzen war eine müde Trauer, die sie selbst nicht hörte.

Dann fragte er besorgt: Was ist mir dir, du klingst so müde, so gedrückt?

Nein, widersprach sie, es geht mir gut, ich unternehme viel, vielleicht macht mich das müde.

In den ersten Tagen wagte sie sich nur kurz aus dem Haus, um keinen Anruf von ihm zu versäumen. Schnell lief sie durch die Straßen in Lisas Viertel, blind für Auslagen und Menschen, als gäbe es nichts Neues zu entdecken, als ginge sie das Leben rund um sie herum nichts an. Und wenn sie zurückkam, hatte er dennoch angerufen, und sie hatte die wenigen Minuten versäumt, die ihren Tag mit Inhalt füllten. Es ist Samstag, elf Uhr vormittags, erklärte seine Stimme auf dem Tonband. Ich muß jetzt weg, Erledigungen machen, später gehe ich dann aus, ein Zögern, ehe er unsicher fortfuhr, mit Freunden, und seine Stimme wieder Sicherheit gewann: Ich rufe dich dann morgen an. Leiser und in fast zärtlichem Ton fügte er einen Satz hinzu, dessen Nuancen sie lange zu ergründen versuchte: Ich habe so gehofft, ich hätte dich erreicht! Schade, bis morgen dann.

Wenn ich im richtigen Augenblick nicht weggewesen wäre, fragte sie immer wieder, säße ich dann jetzt, am Samstagabend, diesem einsamsten aller Abende der Ungeliebten und Verlassenen, nicht hier in Lisas Wohnung?

Geh endlich aus und sieh dich um, fahr in die Stadt und geh ins Kino, drängte Lisa. Wach auf und werd erwachsen. In ihrer Stimme schwang Schärfe mit, die weh tat.

Ich geh dir also auf die Nerven, stellte Lillian fest.

Deine Hilflosigkeit geht mir auf die Nerven, die Resignation, mit der du uns vergiftest.

Lisa ertrug den Stillstand nicht in ihrer Wohnung, den Punkt, an dem die Schwester angelangt war, wo sich die Zeit umkehrte. Während Lisas Leben sich immer geradlinig vorwärtsbewegte, auf Ziele hin, auf Lösungen, stand Lillians Leben still, bevor sie umkehren würde, weg von der Zukunft, zurück in die Erinnerung, weg von der Wirklichkeit, zurück zu den vergangenen Träumen von einer längst eingeholten Zukunft.

Lisa war entschlossen, dies nicht zuzulassen, sie war die Stärkere, und Lillian wich ihr aus. Sie floh nach Boston, begab sich wie unter Zwang auf Spurensuche. Über die Brücke im Park, wo sie vor weniger als einer Woche gestanden und zu den Fensterfronten des Börsenviertels hinübergeschaut hatten, die Tremont Street entlang zum Restaurant, wo sie gegessen hatten, sie spähte durchs Fenster, sah die kleinen grünen Tische und den Tresen mit den Brötchen und Tortenstücken hinter Glas, nur ein junges Paar saß in der Ecke, es war erst früher Nachmittag.

Der heiße Wind wirbelte feinen Sand in Wolken vor sich her, riß ihr das Kleid hoch. Die Straßen lagen schattenlos und staubig in der Hitze, der lange Sommer hatte sich verbraucht und schien seiner selber überdrüssig.

Lillian ging ziellos immer weiter, als wäre sie unterwegs zu einem Rendezvous, das überall und in jedem Augenblick beginnen konnte. Je länger sie ging, um so mehr glaubte sie daran, sie waren schließlich beide in derselben Stadt, einander nahe wie nie zuvor, ein glücklicher Zufall konnte sie zusammenführen wie beim ersten Mal. Sie ließ den Blick nicht von der Straße, die ganze Kraft des Wünschens auf das eine Auto hingespannt, ein blaues Cabrio mit einer Delle an der rechten Seite. Hieß es nicht, die Kraft des Wünschens versetze Berge?

Hier habe ich bleiben wollen? dachte sie erstaunt. Warum denn gerade hier? Ungastlich und abgewandt standen die Häuser an den Straßen, davor geparkte Autos, dahinkümmernde Bäume. Gedankenlos war sie die Beacon Street entlanggegangen, vorbei an den alten Bürgerhäusern mit ihren Erkern und Stuckfassaden, den gußeisernen Gartenzäunen und Treppengeländern, bis dorthin, wo sie als Durchgangsstraße das alte Boston mit Brookline verband und jeden Fußgänger zur Eile anzutreiben schien, als sei es nicht angebracht, hier zu gehen, nur hindurchzufahren, hinter Windschutzscheiben, die den heißen Staub abhielten. Wo sollte sie noch hin? Zur Innenstadt zurück, zum *Freedom Trail*, zu den Touristenpunkten? Dorthin wollte sie am allerwenigsten, sie wollte nichts besichtigen, sie wollte nur nach Hause kommen, die Stadt benutzen wie eine Wohnung, die man sich eingerichtet hatte, und die man darum liebte, weil sie alltäglich und so vertraut war, daß man sie nicht zu bewundern brauchte.

Sie ging an Schaufenstern vorbei, an Imbißstuben, an U-Bahn-Stationen – nichts war ihr fremd und neu, und nichts vertraut. Das habe ich alles schon gesehen und zurückgelassen, dachte sie, es liegt am Grund der alten abgelegten Dinge.

Sie ging ins Kino und sah sich einen Film mit Untertiteln an, sie konnte sich nicht auf die Schrift konzentrieren, und die fremde Sprache, Italienisch, verstand sie nicht, aber die Landschaft war Europa, eine Kleinstadt in Norditalien, sonnige Plätze, winklige Gassen, die hügelige Landschaft, die Zypressen, sie sehnte sich so sehr danach, daß sie am liebsten dem Unbekannten neben ihr berichtet hätte, dort bin ich schon einmal gewesen, und es ist keine zwei Wochen her, daß ich von drüben, von Europa, zurückgekommen bin. So stolz war sie, als wäre es ihre Landschaft, die man auf der Leinwand zeigte.

Ich habe Heimweh nach Europa, dachte sie verwundert.

Das Zentrum von Brookline begann sich zu beleben, es war Samstagabend, die Schaufenster waren beleuchtet, die kleinen Restaurants bis auf den letzten Tisch besetzt, und Menschen standen vor den Kinos Schlange, Fußgänger flanierten auf den Gehsteigen, blieben vor Auslagen stehen, Autos fuhren langsam auf der Suche nach Parklücken vorüber, es war ein bißchen wie in einer Kleinstadt. Es war der Abend, an dem alles mögliche Unerwartete passieren konnte, man ging zum erstenmal mit einer zufälligen Bekanntschaft aus der vergangenen Woche aus, wer konnte wissen, ob es nicht der Lebenspartner sein würde, man traf sich mit einem *blind date*, dem Verwandten eines Freundes, den man noch nie gesehen hatte, und war aufgeregt und neugierig. Und alles, was geschehen und von einem Tag auf den andern das Leben verändern konnte, trug den besonderen Stempel eines Samstagabend.

Lillian ging zur Trolleybus-Haltestelle an Cobbs Corner und fuhr stadteinwärts, hastete, ohne sich umzusehen, zur U-Bahn-Station in Richtung Cambridge, sie fühlte sich so einsam, daß sie es nicht fassen konnte und beinahe erstaunt war: Sie war es also, keine andere an ihrer Statt, der sie ungläubig zusah, nein, sie selber, Lillian, die vor kurzem aus Europa gekommen war, um hier zu leben, mit einem Mann, der ihr jetzt so fern war wie jeder andere im Abteil. Sie wußte nichts von seinem Leben, sie wußte nicht, ob er noch Zuneigung für sie empfand oder nur mehr Wege suchte, sie loszuwerden, nicht, was er heute abend machte. Und dieses Fremden wegen war sie hier, wo sie sonst nichts zu suchen hatte.

Ein neues Bild von ihm nahm langsam Form und Farbe an, es nährte sich aus verdrängten früheren Bildern und schob sich hartnäckig vor die Ikone, an der sie mit Verehrung hing. Aber sie konnte dieses neue Bild nicht annehmen, selbst wenn er sie verlassen wollte oder bereits verlassen hatte. Verlassenwerden war tragisch und sogar poetisch, aber wer sich so sehr in einem Menschen irrte, war ein Narr und keiner Trauer würdig. Doch hatte er sich nicht mit seiner Engstirnigkeit gebrüstet? Hatte er sich nicht wie ein Spießer über die anderen Sitten in Europa beklagt, verkündet, er werde nie wieder reisen, denn nichts sei besser als zu Hause, das eigene Bett, ein gutes Steak, und Boston und New York die schönsten Städte der Welt? Und seine Briefe? Hatte sie nicht jedesmal sich selber den Verdacht verbeten, er könne nicht nur im Ausdruck unbeholfen, sondern dumm sein? Aber hatte sie nicht jedesmal auch Sätze gefunden, die sie versöhnten, weil sie ihr beteuerten, daß er sie liebte?

Und damals, im Winter in New York, hatte sie damals wirklich das ungetrübte Glück erlebt, das ihre Rückkehr rechtfertigte? Der Abend, an dem sie ›Peter Pan‹ gesehen hatten, tauchte wieder aus den verdrängten Erinnerungen auf. Schon am Nachmittag vor der Vorstellung in einem Café im Village hatte er zu allen Themen, die sie anschnitt, feindselig geschwiegen. Das interessiert mich nicht, hatte er sie schließlich unterbrochen, Europa, Politik, Sprachschwierigkeiten. Was interessiert dich denn? hatte sie wissen wollen. Musik. Das konnte sie verstehen. Doch als sie dann in der Dunkelheit nebeneinandersaßen und er nach ihrer Hand griff, war sie versöhnt. Er beugte sich vor und zeigte auf eine Sängerin auf der Bühne: Das ist sie! Ganz aufgeregt war er, so hatte sie ihn noch nie gesehen. Eine wunderbare Frau, erklärte er und starrte hingerissen auf die Bühne. Lillian hatte verzweifelt weggesehen und gedacht, es ist nichts, bloß eine Kollegin, die er kennt und schätzt. Ich muß zum Bühnenausgang, rief er mitten in sein übertriebenes Händeklatschen, schnell, bevor sie weggehen, und er riß sie mit, lief mit ihr hastig durch das Foyer und um den Häuserblock herum zum Bühnenausgang. Dort ließ er Lillian warten, es war eine kalte Nacht, und kam endlich zurück, ein klägliches, verletztes Lächeln im Gesicht, es hatte noch andere gegeben, die sie sehen wollten. Er tat ihr leid. Wenn dich einmal jemand nach mir fragen sollte, begann er mit einem unsicheren Grinsen, sag ihr, daß ich sehr schüchtern bin... Wer sollte mich nach dir fragen, wehrte sie müde ab.

Das alles hatte sie verdrängt. Ihre Erinnerung hatte erst Stunden später wieder eingesetzt, als sie ihn fragte: Soll ich wiederkommen, ist es dir ernst mit allem, was du sagst. Er war so zärtlich gewesen in jener Nacht wie nie zuvor, fast feierlich in seinen Treueschwüren und den Beteuerungen, daß er ohne sie nicht leben könne, nie. Vielleicht war er nur dankbar, daß er nach seiner Niederlage als abgewiesener Verehrer nicht allein sein mußte, dachte sie bitter, jetzt da die Erinnerung, vollständig wiederhergestellt, ihr jede glückliche Illusion verwehrte.

Du mußt dir Klarheit verschaffen. Lillian sah die Entschlossenheit und zugleich das hilflose, unterdrückte Mitleid in Lisas Augen, und sie begriff das volle Ausmaß der eigenen Hoffnungslosigkeit. Dann saßen sie auf Lisas Bett und schwiegen, als müßten sie für etwas Sterbendes, vielleicht schon Totes, Wache halten.

Lillian fror, sie zitterte vor Kälte, die in Wellen nach außen drängte, sie saß im unsichtbaren Eis gefangen und fühlte nichts als Kälte, nicht die geringste Spur von Schmerz. Sie war geschrumpft auf einen winzigen Funken Wärme in ihrem Innern, der sich das nackte Überleben sichern mußte.

Die Einbrüche von Resignation und Tragik ertrug die Schwester nicht. Alles, was geschah, war ein Malheur, ein Pech, nichts weiter, und selbstverschuldet. Das war schon einmal, sagte sie, alles ist schon einmal so gewesen und kehrt nun wieder, weil du auf dem

Fleck trittst und nicht weiterkommst. Sogar das äußere Erscheinungsbild ist unverändert: Genauso hast du auf meinem Bett gesessen, vor beinahe zwanzig Jahren, da war die Situation ganz ähnlich, da gab es diesen Studenten von der Columbia University, Steve, der nichts mehr von dir wissen wollte, aber du hast es nicht begriffen und ihn mit deinen Anrufen bedrängt, so daß er schließlich seine Telefonnummer ändern ließ. Ich glaube, er ist sogar verzogen, um dich loszuwerden. Dann wolltest du dich umbringen, hast nur noch trübsinnig herumgesessen, dein Leben war sinnlos und vorbei, bis du nach Wien gegangen bist, da fing dein Leben dann erst richtig an, und Steve war vergessen. Ein halbes Jahr später habe ich dir einmal erzählt, ich hätte Steve getroffen, er hätte sich nach dir erkundigt. Steve? hast du erstaunt gefragt, welcher Steve? Erinnerst du dich nicht?

Der Umkreis, in dem sich Lillian bewegt hatte, war immer nur ein kleiner Ausschnitt der Welt gewesen, als hätte ihre Kraft nie ausgereicht, mehr als ein Haus zu füllen, ein Zimmer, ein paar Straßen. Damals war es das Zimmer mit dem Fenster auf den Hinterhof gewesen, das sie mit Lisa teilte, und gegenüber, vervielfacht in anderen Wohnungen, hinter Kletterpflanzen, das eigene Warten, der eigene Überdruß. Die Frau, die unfrisiert im Nachthemd bis zum Abend unzählige Male ans Fenster trat, das Kind am Fenster zwei Stock höher, im anderen Fenster eine Katze, die sich nie vom Fleck bewegte, und weiter drüben im dritten Stock ein dicker Mann in Unterhose und mit Fernglas. Es stimmte nicht, daß nur die Frauen warteten, sogar die Kinder saßen bereits fest im Warten, so wie sie mit sechzehn in ihrer Zimmerecke neben Bett und

Schreibtisch gesessen und gewartet hatte, daß der einzige Mensch, der damals in ihrem Leben zählte, anriefe und sie aus ihrer Lethargie erlöste. Und um das Warten unterhaltsamer zu machen, gab es Straßen und Geschäfte in der Nähe, den *Icecreamparlour* und die Schnellbahn nach New York, aber auch dort hatte sie bald den Umkreis für sich abgesteckt, den sie nie überschritt, in dem sie warten konnte, ein paar vertraute Straßen in Soho, einige Imbißstuben und Galerien, ein paar Freunde. *Hi there*, was gibt's Neues? Es gab nichts Neues, nur – aus der Distanz betrachtet – unbedeutende Veränderungen, die Schmerzen machten und Überdruß erzeugten. Steve ging mit einer anderen, er war in der U-Bahn gesehen worden, wie er sie küßte, und Lillian würde sich damit abfinden oder verschwinden müssen. Ein Herzschmerz, sagte Lisa, den du längst vergessen hast. Danach kamen Wien und Josef, und heute ist es nichts, weniger als ein Schatten.

Sie hatte recht, am Ende war das ganze Leben – aus der Ferne betrachtet – so schmerzlos, als hätten andere es erlitten.

Ich habe immer nur verloren, sagte sie zu Lisa, gleich, ob ich wartete oder schließlich des Wartens überdrüssig Veränderungen erzwang. Dann war es immer zu spät oder zu früh, und jedesmal habe ich das bißchen, was ich hatte, auch noch verloren und mich obendrein noch schuldig gemacht.

Wie diesmal, was meinst du? fragte Lisa.

Seit Lillians Ankunft hatten sich beide gehütet, von Josef oder Lillians Kindern zu reden, von ihrem Abschied, von irgend etwas, das ihr Leben in Europa zur Sprache hätte bringen können. Es mußte reichen, daß sie da war, die Zukunft stand nicht fest, die Gegenwart war wie ein flaches, ruderloses Boot, in dem nur ruhiges Warten vor dem Ertrinken retten konnte. Wenn sie der Vergangenheit mit ihren quälenden Erinnerungen Platz einräumten, brachten sie das ganze mühsam erhaltene Gleichgewicht ihres Zusammenlebens ins Gefahr. Wenn Lisa erst begonnen hätte, sie zu fragen: War es nicht furchtbar, die Kinder zu verlassen? Fühlst du dich nicht schuldig? Ist dieser Mann es wirklich wert? – Wie hätte sie Lillian gleichzeitig beistehen können, sie ernst nehmen, sie beraten und trösten? Im Augenblick durfte es die Vergangenheit nicht geben, sie lag am Rand des Blickfelds, und es war manchmal schwierig, rechtzeitig wegzusehen, gedankenlose Sätze schnell zurückzunehmen und sie ins absichtslose Reden zurückzustopfen. Die Vergangenheit lag herum wie ihre Sachen, die aus dem halb offenen Koffer unter dem Bett hervorquollen, und zog immer zwanghafter Lisas irritierten Blick auf sich.

Wir waren selten offen zueinander, sagte Lisa, wir haben einander immer nur beschwichtigt. Niemand hat je bei uns geredet, und die Bedrückung war oft nicht auszuhalten. Es mußte eine von uns sterben, damit wir einen Abend lang ein bißchen reden konnten, und das ist lange her.

Am Abend nach Bessies Begräbnis waren sie zu Lisas Haus auf Cape Cod gefahren; gleich nach der Schaufel Erde auf den Sarg waren sie losgefahren wie auf der Flucht, und die Erinnerungen hatten sie verbunden, das zum erstenmal ausgesprochene Eingeständnis, daß das, was sie erlebt und verschwiegen hatten, weiterexistierte in ihrem Schmerz um nie Verheiltes, daß alles, was sie schweigend mitgelitten hatten, weiterwirkte und sie verband wie ein gemeinsames Verbrechen, an dem sie schuldlos waren und für das sie dennoch büßten. Bessies unausgesetzten Haß auf ihren Schwiegersohn und wie sie ihn vor seinen eigenen Kindern gedemütigt hatte. Nie hatte eine von den Töchtern es gewagt, Partei für ihn zu ergreifen, nie hatten sie ihm zu verstehen gegeben, daß sie nicht wußten, auf welche Seite sie sich stellen sollten, weil keiner der Erwachsenen ihnen erklären konnte, was geschehen war. Es gab *die Schuld*, sie betraf etwas Unaussprechliches und war durch nichts zu tilgen. Jahrelang hatten sie schweigend zugesehen, wie ein Mensch für einen Tod büßen mußte, der ihn selbst am meisten quälte, und nicht einmal gewagt zu fragen: Was ist geschehen, und wie ist es passiert? Nie hatten sie gefragt, hast du sie gern gehabt, und nie ihn aufgefordert zu erzählen. Sie hatten ihn gefürchtet, ihn verachtet, weil Bessie ihn verachtete, und auch geliebt, aber nie hatten sie gewagt, sich ihm zu nähern. Verängstigt hatten sie zwischen Bessie und dem Vater bei Tisch gesessen, und das Schweigen war oft unerträglicher gewesen als die Bezichtigungen. Auch Bessie war eine einsame alte Frau gewesen, die ihre beiden Kinder und ihren Mann um Jahre überlebte und sich im Kampf ums Überleben jedes Gefühl verbot, außer den Haß auf ihren Schwiegersohn und eine unbeugsame, beinahe unpersönliche Loyalität den beiden Kindern gegenüber. Was sie über Bessie und den Vater wußten, waren unzusammenhängende Beobachtungen, die kein klares Bild ergaben.

Ich dachte immer, gestand Lisa, ich sei schuld. Wenn ich nicht wäre, dann würde sie noch leben. Wenn Bessie sagte, die arme Kleine hat nicht einmal eine Erinnerung an sie, hatte ich das Gefühl, meine Geburt und Mutters Tod müßten irgendwie zusammenhängen.

Und ich wagte nie zu fragen, was geschehen war, weil ich mich davor fürchtete, etwas zu erfahren, was so schrecklich wäre, daß ich es nicht ertragen würde. Ich glaubte immer, er hätte sie wirklich umgebracht, mit einem Messer oder mit den Händen, erwürgt oder erschlagen, bis in die Einzelheiten hinein stellte ich es mir vor und wartete darauf, daß sie ihn holen kämen. Und wenn wieder einmal ein Manuskript zurückkam und er diesen schrecklichen Blick hatte und sich einschloß, dann war ich überzeugt, ich oder du, wir sind die nächsten.

Mein Gott, rief Lisa, weißt du, was ich gedacht habe, jedesmal, wenn er ein Messer in die Hand nahm oder einen schweren Gegenstand? Jetzt bringt er Bessie um. Jahrelang war ich darauf gefaßt. Hatten wir nicht eine mörderische Kindheit?

Ich habe nie gewußt, daß du darunter gelitten hast, gestand Lillian.

Wir hatten eben keine Ahnung voneinander und von den beiden, die uns erzogen haben, auch nicht.

Damals dachten sie, sie stünden am Anfang einer neuen Nähe. Bis spät nach Mitternacht hatten sie im Dunkeln auf der Veranda gesessen. Es war eine sternenlose Nacht, die Ochsenfrösche quakten dumpf in den Büschen, und die Brandung klang aufgewühlt wie kurz vor einem Sturm. Selbst als ein Wetterleuchten draußen über dem Atlantik den finsteren Himmel in immer kürzeren Abständen erhellte, blieben sie sitzen, als könnte jede äußere Veränderung die Nähe wieder tilgen.

Ist es sehr schlimm für dich da drüben in Europa, hatte Lisa gefragt. Vermißt du viel?

Es war das erste Mal, daß jemand ihr diese Frage

stellte, und Lillian hatte aufgezählt, was sie sich selber noch niemals eingestanden hatte. Sie war erstaunt gewesen, wie leicht es sich in Worte fassen ließ, es mußte schon lange an den Rändern ihres Schweigens gelauert haben; doch einmal ausgesprochen, brach es in ihr Bewußtsein ein und ließ sich nicht mehr verdrängen. Daß sie begonnen hatte, alt zu werden und noch immer weiterwartete, auf Ereignisse, die sie sich einst erträumte, zuerst mit Gewißheit, dann mit Zuversicht und später skeptisch erwartungsvoll, wider besseres Wissen. Doch immer mehr vermute ich, sagte sie, daß es diese Ereignisse niemals geben wird, nicht in meinem Leben. Das Meer vermisse ich, es ist in meinen Ohren, meinen Augen, auf meiner Haut wie eine große Abwesenheit, sogar meine Haare vermissen es. Ich dachte immer, mein Haar sei von Natur gewellt, bis die Trockenheit der Bergluft es glättete. Meinen Humor vermisse ich, ich lache nur mehr selten, und wenn ich lache, versteht mich keiner und nimmt's mir übel, ich finde nicht zum Lachen, was sie lustig finden, das macht sie mißtrauisch, sie denken dann, ich kritisiere sie. Und wenn ich Wörter höre, die ich vergessen habe, wie heute beim Begräbnis, überkommt mich Angst, ich könnte noch sehr viel mehr unbemerkt verloren haben, und meine Sehnsucht, es zu retten, lähmt mich, denn ich weiß ja nicht einmal, was und wieviel es ist. Selbst um meine Vorurteile ist es mir leid, um alles, und der Verlust zieht immer weitere Kreise. Auch drüben ist Amerika, fügte sie hinzu, wie eine brüchige Schicht billigen Furniers liegt es auf allem, kaum zu erkennen und entstellt, das bieten sie mir dann als Trost an, als hätte ich nicht mehr als diesen überflüssigen Kitsch verloren, als hätte ich in Wahrheit nichts verloren, nur gewonnen.

Wenn ich dir raten soll, hatte Lisa in jener zeitentrückten Nacht am Meer gesagt: Komm bald zurück. Wir könnten zusammen leben, hatte sie versprochen, und alles nachholen, was wir als Kinder versäumten, damals waren wir nie Geschwister. Es wäre soviel gutzumachen zwischen uns.

Am Ende ihres Besuchs hatte Lisa sie zum Flughafen gebracht, und Lillian war überzeugt gewesen, die Schwester sei die einzige, die je begreifen konnte, was in dem Augenblick des Übergangs, an der Paßkontrolle, in ihr vorging. Seit jenem Abschied hatte es die stillschweigende Übereinkunft gegeben, daß Lillian eines Tages einfach dastehen würde vor Lisas Tür, ganz auf die Schwester angewiesen, am Ende einer langen Reise und ohne klare Zukunft, nur mit der Hoffnung, die sie beide hegten, daß die bedrückende gemeinsame Kindheit sich verwandeln ließe in eine Freundschaft von zwei Erwachsenen.

Doch jetzt, da Lillian ungeladen in Lisas Alltag eindrang, war Lisa nicht bereit, ihr eigenes Leben zu verändern oder anzuhalten für eine aufgedrängte Nähe. Ihr Leben verlief in klaren Bahnen, und es war lange her seit jener von Erinnerungen aufgewühlten Nacht nach Bessies Tod, sie konnte sich nicht mehr entsinnen, was sie damals gefühlt und was sie dazu hingerissen hatte, Lillian ihre Wohnung als Bleibe anzubieten. Denn Lillian war nicht bloß ein Besuch, sie war zugegen, wenn Lisa morgens wegging, und sie war zugegen am Abend, sie sättigte die Luft mit ihrer Trauer und ließ die Auflösung der Zeit herein, sie wollte reden und schwieg bedrückt, sie heischte Mitleid und wob

Vergeblichkeit wie ein Gespinst um alles, zerdehnte die Stunden und drohte in Erstarrung zu versinken und die Schwester in eine Bodenlosigkeit nachzuziehen, vor der Lisa graute.

Lisa sprang vom Bett auf: Ich schaffe Klarheit, und zwar sofort.

Doch er war nicht zu Hause.

Das hätte ich dir sagen können, erklärte Lillian, an einem Sonntagabend! Das hast du nur getan, um mich zu kränken.

Dann morgen, rief Lisa, rücksichtslos entschlossen. Wir können nicht mehr warten, ich nicht, ich brauche Klarheit und du auch, du hast nicht ewig Zeit.

Nur das führe ich noch zu Ende, sagte Lillian, dann gehe ich schon.

Gleich um zehn Uhr am nächsten Tag rief Lisa vom Büro an. Ihre Stimme klang nicht mehr so rücksichtslos wie am vergangenen Abend, doch auch nicht mehr so sicher. Sie habe ihn angerufen, berichtete sie, nie fiel sein Name zwischen ihnen, ja, sie habe ihn geweckt, sie hätte keine Angst vor ihm wie Lillian, aber sie gebe ihm diesmal recht: Wir müssen miteinander reden, habe er gesagt, nicht über Unterhändler.

Dann ist es also aus?

Ich denke nicht. Doch Lisas Stimme war voll Zweifel. Ich habe ihm gesagt, wenn du schon Schluß machst, tu ihr nicht noch mehr weh. Und er, ich will nicht, daß es aus ist.

Was sonst?

Ruf ihn doch an und frag ihn.

Hatte Lillian nicht behauptet, sie wären sich so nahe, daß selbst das Ende ihrer Liebe klar und einfach sein werde und ohne Hoffnung? Sie rief ihn an, sie ließ es läuten, fünf-, sechsmal, sie wartete. Das ganze Haus, das sie nicht kannte, sollte es hören. Er schien zu wissen, daß sie es war. Ich ruf dich später an, beschwichtigte er schnell, bevor sie reden konnte.

Nein, jetzt. Ich muß dich sehen.

Übermorgen, am Mittwoch, hätte ich eine Stunde in der Mittagszeit.

Das war zuviel Vergeudung, die angehaltene Zeit hatte sich losgerissen und raste vor ihr davon, sie mußte mit, sonst war es für den nächsten Schritt zu spät.

Morgen, verlangte sie.

Da kann ich nicht, ich hab was Wichtiges vor. Aber am Freitag, rief er erfreut, der Freitag ist noch frei, der ganze Tag.

Da bin ich längst schon weg.

Du fährst weg? Er schien erstaunt, ein wenig aufgescheucht. Dann eben, wenn du wiederkommst.

Ich komme nicht zurück. Es war, als sei die Ausflucht in dem Augenblick, da sie es aussprach, drängende Wirklichkeit geworden und sie, schon unterwegs, sei nur durch eine Bitte einzuholen: Bleib noch, meinetwegen.

Er schwieg. Dann heute, sagte er nach einer Pause, heute abend. Ich komme und hole dich ab.

Ein langsamer grauer Regen umschloß das Haus. Nur für Stunden sickerte die unsichtbare Sonne durch den Dampf, und feine Dunstschwaden strichen über den Asphalt und über die Autodächer.

Es dämmerte, und Lillian wartete, zum Ausgehen angekleidet, vor einem grauverhangenen Fenster. Selbst Alans Schritte draußen wirkten gedämpft und fern. Sie wollte ihm entgegengehen, doch er drängte sie an der Tür zurück ins Haus: Wir müssen reden. Sein Ton und seine Augen, diese grundlos harten Augen, erlaubten keinen Widerspruch, er war wie eine eingeschaltete Maschine, die ein Programm zu Ende führen muß. Er wies ihr einen Platz auf Lisas Sofa zu und hockte sich auf die Kante eines hohen, unbequemen Lehnstuhls. Dann sah er sie streng an, wie ein Vorgesetzter, der zu einer Rüge Anlaß hat. Sie lachte nervös und wollte etwas sagen, doch er erhob die Hand, als müßte er ein ganzes Orchester zum Verstummen bringen: Erst ich, dann kannst du reden. Legen wir unsere Karten auf den Tisch.

Was er zu sagen hatte, kannte sie bereits. Gewiß, er hatte Gründe, in deren Licht ihre Beziehung keinen Sinn ergab, geradezu absurd war, fast pervers.

Lillian fuhr auf, doch seine erhobene Hand und seine Augen verbaten ihr das Wort. Es waren seine Augen, die ihn plötzlich häßlich machten, die arroganten kalten Augen eines Menschen, der nichts mehr an sich heranließ, an dem die Worte abprallten. Deshalb schwieg sie, betrachtete ihn wie durch ein verkehrt herum gehaltenes Fernrohr, am Ende seines ungelebten Lebens, und sah ihn glatzköpfig und launenhaft als Haustyrannen, bar aller Zukunftsträume, in einem engen, dumpfen Bürgerleben. Aber das andere, das er jetzt noch ängstlich und hoffnungsvoll vor sich sah, war ihm zu groß, er würde es mit der Angst zu tun bekommen, er würde in die Enge flüchten und dort zugrundegehen, genau wie sie, genau wie ihr Vater.

Ja, es gab Gründe gegen ihre Liebe, ihr Alter, seine Jugend, ihre Kinder, die nicht die seinen waren, und ihre ungewisse Zukunft, die sie allein leben mußte; denn er stand noch am Anfang, und alles lag vor ihm, die vielen Möglichkeiten der zehn Lebensjahre, die sie trennten.

Ich werde einmal Kinder haben, sagte er, dann werde ich dazu bereit sein. Es gibt noch viele Leben, die auf mich warten. Du drängst mich auf ein Ende hin. Denn hinter ihr, warf er ihr vor, liege ein ganzes, voll gelebtes Leben, Europa hafte an ihr wie ein nicht abzuschüttelnder Geruch, Europa habe sich tief in sie eingegraben und sei in ihrem Wesen gegenwärtiger als Amerika, greifbarer als alles, was sie gemeinsam hätten, er habe es in jedem Augenblick gespürt. Von Anfang an, als es noch mit ein Grund der Anziehung gewesen sei, habe es sie auch schon getrennt. Und einmal, prophezeite er, hältst du die Sehnsucht nicht mehr aus und gehst wieder nach drüben.

Sie widersprach ihm nicht, versuchte nicht mehr, ihn zu unterbrechen, vielleicht war er im Recht, es machte keinen Unterschied.

Er suchte nach Versöhnlichem zum Abschluß, die Anziehung sei nach wie vor vorhanden, doch das allein genüge nicht, erklärte er und lehnte sich zurück. Das war es, was ich sagen wollte, ich hoffe, du hast zugehört. Jetzt du. Was hast du vorzubringen?

Daß ich dich liebe, sagte sie und fühlte sich sehr mutig, daß ich mit dir lebendiger war als je zuvor. Du hast mich inspiriert, mir Mut gemacht, nein, Tollkühnheit, sonst gibt es nichts zu sagen.

Er wartete. Und weiter?

Sonst nichts. Sie liebte diese Einfachheit, in der sie sich befand, ein Ende, das ganz allein ihr gehörte, es gab ihr soviel Klarheit, daß sie staunte über die Schönheit unerfüllter Liebe.

Ich will nicht, daß es aus ist, sagte er, ich wollte nur erklären, warum es keine gemeinsame Zukunft geben kann. Ich möchte, daß es weitergeht, bat er mit aufbegehrender Dringlichkeit, als sie noch immer schwieg.

Bist du verliebt? Das war die einzige Frage, die ihr noch wichtig war. Was war der Grund?

Nein, aber es gibt eine Frau...

Davon will ich nichts hören.

Vielleicht will ich es dir erzählen!

Ich will nur wissen, ob jetzt, in diesem Augenblick, ein Mensch in deinem Leben ist, neben dem nichts sonst Platz hat.

Er schüttelte den Kopf. Nein, ich...

Dann gehen wir.

Er sah sie fragend an.

Gehen wir essen, es ist spät.

Jetzt? Jetzt willst du essen gehen? Er stand auf und sah sie an, als nehme er jetzt erst Dinge an ihr wahr, die er noch nie gesehen hatte, erstaunt, verwirrt und ratlos.

Nichts ist entschieden, dachte sie, als sie ins Auto stieg, es kann noch weitergehen, wenn ich seine Bedingungen ertrage.

Doch auf der Fahrt durch dunkle, regennasse Straßen wuchs ein Schweigen zwischen ihnen, das endgültig war. Es gab kein Wort und keinen Satz mehr, der es überbrücken konnte, denn jede Frage war nach vorn gerichtet, auf eine Zukunft, die es nicht mehr gab, und jede Antwort enthielt Vertrauen auf die Neugier, was noch kommen konnte. Jedes Gespräch ließ Hoffnung auf ein Wissen um den andern zu, das man hinzugewann. Ohne die Zukunft gab es keine Gegenwart und keine Neugier. Was immer sie erfuhr, würde ihr nichts mehr nützen, und nichts, was er von ihr erfragen konnte, ging ihn etwas an. Die wenigen Sätze, die sie wechselten, blieben im Schweigen hängen, es war nichts mehr geblieben als der Überdruß, es war zu Ende.

Wie unglücklich du bist, sagte er leise.

Ich akzeptiere nur die Wirklichkeit, erwiderte sie bitter. Das passiert mir selten, daß ich die Wirklichkeit so nahe an meine Träume lasse.

Aber es ist wichtig, sich der Wirklichkeit zu stellen, sagte er eifrig.

Sie schwieg, er konnte in der Dunkelheit nicht ihre Augen sehen, und wie sie ihn verachteten. Er legte tröstend seine Hand auf die ihre und hielt sie fest.

Im Restaurant saß nur ein spätes Pärchen, das sich küßte und niemanden beachtete. Sie setzten sich an ein Fenster, und ihre sitzenden Gestalten warfen lange abgeknickte Schatten auf den hellen Boden. Lillian las, ohne zu verstehen, wie etwas, das sie auswendig lernen mußte, die mit Reklame bedruckte Papierserviette auf ihrem Platz. Ned's Hundefrisiersalon, ganztägig geöffnet, Marcy's Pelzboutique, reduzierte Preise, Frank's Hafenrestaurant versprach die größten Hummer in Massachusetts, und sie begriff nichts, las und prägte sich alles für später ein, wenn es wichtig war, sich zu erinnern.

Von ihrem Platz aus konnte sie auf der anderen Straßenseite den Schauraum eines Autohändlers sehen, sie starrte auf die angestrahlten Autos mit solcher Inbrunst, daß er sich umwandte, aus Neugier, was sie fesselte. Daneben, auf dem First eines 24-Stunden-Ladens, hockte eine große weiße Plastikhenne, und Lillian dachte gegen den zähen Stillstand der Gedanken an: Ist das die Wirklichkeit, die mich jetzt einholt, die Plastikhenne, die Autos, die für niemanden die ganze Nacht in Neonhelle glänzen, die Serviette und die kahlen weißen Wände des Lokals oder das Gesicht vor mir, das ich mir einprägen muß, weil ich es nie mehr wiedersehen werde, die Wärme seiner Hand, die er wegnahm, um bei der Einfahrt in den Parkplatz zurückzuschalten?

Sag etwas, bat er, du bist so verstört. Er hob die Hand, als wischte er eine Scheibe zwischen ihnen blank. Es war doch immer soviel zwischen uns, auch jetzt noch.

Jetzt nicht mehr, sagte sie.

Zum erstenmal sah sie beim Überqueren des leeren Parkplatzes sein Nummernschild. Meine Glückszahl, dachte sie ironisch, 212. Sein dunkles Halbprofil, sieh es dir gut an, du wirst es nicht mehr wiedersehen. Danach sah sie geradeaus, die ganze Fahrt. Was weiß ich denn von ihm, fragte sie sich erschrocken, nicht einmal, was er jetzt denkt, was er gern ißt, gern liest, nur, daß er lange schläft, weiß ich. Und jetzt war es zu spät, ein Mensch, den sie zu lieben glaubte wie keinen anderen, ohne ihn zu kennen – sie hatte nur sich selbst in ihm gesehen. Nichts würde sie von ihm erfahren, es lohnte sich nicht mehr, es blieben nur noch zehn Minuten Fahrt, zehn letzte kostbare Minuten Schweigen neben ihm.

Er hielt vor Lisas Haus, den Fuß am Bremspedal, der Motor lief, der Regen trommelte aufs Dach wie Hagel.

Wir werden uns nicht wiedersehen, sagte sie und sah geradeaus.

Er widersprach ihr nicht, sie war sich nicht sicher, ob sie darauf gehofft hatte. Erst als sie ausgestiegen war, schaltete er den Motor ab, aber er rief sie nicht, sie drehte sich nicht um. Sie spürte, während sie nach dem Schlüssel suchte, in ihren Gliedern, wie die Lähmung der Endgültigkeit ihn einholte, sein Eingeständnis des Verlusts.

Es regnete seit Tagen, und mit jedem Regentag wurde es kühler. Die klebrige, dumpfe Feuchtigkeit machte sogar im Haus die Kleider klamm. In der Wohnung war es still, so still, daß Lillian manchmal in allen Zimmern nachsah, weil sie meinte, es atmen zu hören. Ein trübes Licht fiel durch das Küchenfenster und blieb als schwacher Glanz auf einer schwarzlasierten Kanne haften. Sie folgte dem Verlauf der unsichtbaren Sonne ins andere Zimmer und sah dem Regen zu, wie er in Striemen über das Fenster rann, sah zu, wie gegen Abend die Umrisse der Bäume zerfaserten, als wären sie auf Löschpapier gemalt.

Nichts drang zu ihr, die Post war nicht für sie und konnte warten, der Anrufbeantworter an Lisas Bett vertröstete auf später, nichts war für sie bestimmt, sie war der weiße Fleck, durch den die Welt entweichen konnte, und was sich von ihrem Bewußtsein loslöste, hielt sie nicht fest, sie ließ es in die graue Dämmerung treiben wie Tiefseefische, die sie umkreisten, wahllose Bilder, Erinnerungen aus verschiedenen Zeiten.

Sie hockte vor dem Koffer und schaute Fotos an, die Kinder Hand in Hand in einem Hohlweg, Wiesenschaumkraut auf der Böschung, dahinter schneebedeckte Berge, immer wieder Berge und Menschen davor, und immer Sonne, strahlende Jahreszeiten, als wäre ihr ganzes Leben in Europa ein Fest gewesen, Josef um fünfzehn Jahre jünger, in Jeans und buntem Hemd, Josef mit Claudine im Arm, die Kinder auf Skiern, und jeder Zweig mit Schnee beladen, der über ihren Köpfen zerstob. Ein Stilleben nach dem andern, seltene Augenblicke der Zufriedenheit, in eine Ewigkeit gerammt, die halten mußte. Nichts als Bilder der Vergangenheit, nicht ein Gedanke an die Zukunft, kein Entschluß und keine Überzeugung nahm in diesen schwerelosen Tagen Gestalt an. Sie konnte die Erinnerungen festhalten oder vorüberdriften und versinken lassen, sie waren Teil von ihr, denn Lillian hatte mit den Lebenstagen, die an der Zukunft fehlten, damit bezahlt. Sie mußten reichen für die nächste Zeit, die unvorstellbar fern vor ihr lag.

In nächster Zeit, erklärte Lisa, mußt du dein Leben ordnen. Sie meinte: einen Job und eine eigene Wohnung finden, einen Plan machen, der nichts dem Zufall überließ, auch nicht die freien Stunden. Rücksichtslos drang sie in die Gezeiten ein, in denen Lillian sich zwischen Erinnerungen wiegte, durchkreuzte ihre absichtslose Ruhe mit Forderungen: Steh auf, geh weg, kauf ein, räum auf. Was hast du den ganzen Tag getan?

Ich habe den Tag beobachtet, erklärte Lillian schuldbewußt, es ist so langsam, so behutsam Nacht geworden, dem hab ich zugesehen.

So etwas machte Lisa wütend: Der Tag ist dazu da, daß man ihn ausfüllt, ich kann dich nicht mehr sehen, wie du herumsitzt und dir selber leid tust.

Ich tue mir nicht leid, ich komme nur zu Atem und überschaue, was mir geblieben ist, das kostet Zeit.

Doch Lisa beharrte auf ihrem Tatendrang: Wenn du

den Tag mit etwas ausfüllen würdest, dann würde die Vergangenheit nicht so sehr schmerzen.

Schmerz macht mir keine Angst. Lillian sah die blanke Verständnislosigkeit in Lisas Augen und lachte: Du bist so amerikanisch!

Es gibt kein Scheitern, sagte Lisa, die nicht die Absicht hatte, Lillian zu verstehen, es gibt nur immer wieder Neuanfänge. Mein Freund Jeffrey, erzählte Lisa, hat schon dreimal bankrott gemacht, und heute ist er reich.

Auch Onkel Harry, gab Lillian streitsüchtig zurück, hat dreimal bankrott gemacht, und nach dem dritten Mal hat er sich umgebracht!

Und schuld daran war, erklärte Lisa, daß er sein ganzes Leben lang Europäer blieb, das war die Tragik dieser Generation, daß Bessie ihm und wahrscheinlich auch unserer Mutter nicht erlaubte, hier Fuß zu fassen, auch wenn sie von Europa, wo sie zur Hälfte hingehörten, nur noch vom Hörensagen wußten. Sie waren ohne Wurzeln und ohne Zugehörigkeit, das war der wahre Grund für Harrys Selbstmord.

Vielleicht ist das auch mein Problem, meinte Lillian, daß ich von Anfang an nirgendwo hingehörte.

Sie hatte sich gesehnt, nach allem, was sie in Europa nirgends fand und von dem sie wußte, daß es existierte und Teil von ihr war, der wichtigste vielleicht: die Sprache, die Landschaften, tägliche Gegenstände, an denen Erlebtes hing, Lebenswichtiges, Vergangenheit. Und vieles, was ihr nie etwas bedeutet hatte, war längst vergessen. Alles an ihrem Land, das ihrem Wesen nicht entsprach, hatte sie im Lauf der Jahre aus der Erinnerung getilgt. Jetzt drängte es sich ungerufen wieder auf, in einer Redewendung, die sie auffing, in unbedeutenden Erlebnissen des Alltags, in Werbespots im Fernsehen, bei Lisa. Die anfangs flüchtigen Augenblicke eines undeutlichen Widerwillens gegen Lisa mehrten sich und hielten an, wie eine Farbe oder ein Geruch, der jedesmal mit heftigerer Abneigung erfüllt und keine Gewöhnung zuläßt. Der Optimismus, durch den Lillian sich in die Enge getrieben fühlte, der Tatendrang der Schwester und die Manie, für alles Lösungen finden zu wollen, die wichtigtuerische Geschäftigkeit, mit der sie Lillians Ruhe störte, das alles faßte sie zusammen in dem verächtlich gemeinten Ausruf: Du bist so amerikanisch!

Gott liebt die Tüchtigen. War das ein Ausspruch von Bessie oder lag er in der Luft, über dem ganzen Land, ungreifbar und allgegenwärtig wie ein Glaubensgrundsatz? Ich bin nicht Teil von diesem Schwachsinn, sagte Lillian, und neuer Trotz breitete sich in ihr aus, die Bereitschaft zur Widerborstigkeit, mit der sie sich zurücknahm aus der Euphorie des Gleichklangs.

Doch Lisa war gekränkt. Sie hatte sich bemüht, sich Gedanken um Lillian gemacht, für sie gehandelt, sie war sogar bereit, das steckengebliebene, verfahrene Leben der Schwester wieder flottzumachen. War das der Dank?

Sie hörte auch jetzt nicht auf, das Leben Lillians zu lenken, so leicht gab sie sich nicht geschlagen, nur wurde sie diplomatisch und vorsichtig. Sie mußte unauffällige Mittel finden, der Schwester neue Lebensfreude aufzuzwingen, indem sie morgens Einkaufszettel hinterließ, ihr dringende Erledigungen auftrug, die Lillians Tage bis zum Abend füllten. Das beste Mittel gegen Traurigkeit ist allerdings die Arbeit, sagte sie von Zeit zu Zeit. Je mehr man arbeitet, desto schneller vergißt man. Doch Lillian war uneinsichtig, und die Verstimmung blieb.

An einem Morgen erklärte Lisa: Wir gehen heute abend aus. Ich bin zur Einstandsparty des Dekans eingeladen, und du kommst mit. Solche Gelegenheiten mußt du nützen, schärfte sie Lillian auf der Fahrt am Abend ein, du kannst Kontakte knüpfen, die dir weiterhelfen werden, und man weiß nie, du könntest dort den Mann deines Lebens kennenlernen, es ist nie zu spät.

Dann standen sie zwölf Stockwerke über den Straßen von Boston, durch eine raumhohe Glaswand vor dem freien Fall geschützt, in einem hellen, mit Designermöbeln eingerichteten Apartment, umgeben von den exaltierten Sätzen und Zwischenrufen der Gäste, die alle Lisas Rat befolgten und die Aufmerksamkeit möglichst vieler auf sich zu lenken suchten. Ein junger blonder Mann mit schütterem Haar und einem sympathischen, offenen Gesicht trat auf sie zu, und Lisa gab der Schwester einen kleinen, auffordernden Schubs.

Was ist Ihr Spezialgebiet, fragte er sichtbar verlegen.

Ich habe keines, antwortete sie verständnislos.

Verzeihen Sie, ich dachte, er wurde rot, ich dachte nur, Sie seien …

Ich bin nur mitgekommen, zufällig, ich bin auf der Durchreise hier …

Sie hatte keine Lust, ihm von sich zu erzählen, und er war zu schüchtern, sie zu fragen. Eifrig begann er statt dessen, ihr sein Forschungsprojekt zu erläutern, er schrieb an einer Dissertation, die sein Denken ganz auszufüllen schien. Lillian nickte, lächelte und horchte auf die Wörter, die sie von allen Seiten umschwirrten, Teile von Gesprächen drifteten durch den Raum, so klar und deutlich, daß sie jedes Wort verstand, sie hätte den ganzen Abend damit verbringen können, sich von dem dichten Garn dieser Sätze, die nicht einmal an sie gerichtet waren, einspinnen zu lassen in eine glückliche Illusion der Zugehörigkeit. Sie konnte aufnehmen, was um sie herum vorging, und obendrein noch ihrem Gesprächspartner folgen, ihm die richtigen Stichworte zum Weiterreden geben. Nach all den Jahren in der fremden Sprache erschien ihr diese Leichtigkeit der Konversation als Luxus. Doch dann mischten sich zwei seiner Kollegen ins Gespräch, und Lillian verlor das Interesse.

Sie trat ans Fenster, sah auf die Hafenlichter hinunter und auf die nächtliche Skyline von Boston, und plötzlich rückte der hellerleuchtete Raum von ihr weg, seine Beleuchtung wurde unerträglich grell, und seine Atmosphäre erschien so dünn, daß die scharfen Ränder der Gegenstände und Gesichter ihr schmerzhaft in die Augen schnitten, während ihr Kopf leer und leicht wurde, als müßte er sie wie ein Gasballon an die Decke ziehen. Sie sah sich selber in dieser hektisch auftrumpfenden Gesellschaft, ein wenig erstaunt, sich hier zu finden. Sie hörte die affektierten Schreie der Frauen wie von fern, und sie sah den Scheingefechten der Männer zu, sah, wie sie balzten und sich selbst ausstellten und spürte wieder den Ruck, mit dem der Boden kippte, wie jedesmal, wenn sie an einem öffentlichen Ort mit Josef unter Leuten war. Sie fühlte, wie der Boden unter ihren Füßen sich neigte und die Menschen wie Marionetten, deren Fäden auf einmal sichtbar wurden, zuckten. Alles war viel zu unwirklich und komisch, um daran teilzuhaben. Der kleine Schritt ins Abseits war wie ein Sturz, und unter ihr hingen nicht mehr die schmalen Lichtergirlanden des Hafenviertels, sondern die unermeßlich große Schwärze des Atlantiks, der die Glaswand füllte bis zum oberen Rand. Nach diesem unerträglich scharfen Blick von ihrem Beobachterposten aus war Rückkehr nicht mehr möglich. Sie blieb den Rest des Abends einsilbig reserviert am Fenster stehen, nippte an ihrem Glas und wußte nicht mehr, wie sie der Unbefangenheit der anderen begegnen sollte.

Lisa nahm sie besorgt am Arm und wollte sie zu einer Gruppe ihrer Freunde führen. Was hast du? Misch dich unter Leute, sei nett.

Lillian lächelte gequält und stand bald wieder abseits.

Das Fallen aus der Wirklichkeit, dieser Moment, in dem das Fremdsein anfing und unumkehrbar wurde, ging weiter zurück als zu den Partys und Empfängen in Europa. Schon als Kind hatte sie es erlebt, mitunter auf dem Spielplatz, in der Schule, oder wenn sie am Abend lange unter der Küchenlampe gelesen hatte. Dann war das Blatt Papier mit einem Mal grellweiß geworden wie ein Schneefeld unter einer erbarmungslosen Sonne, die Buchstaben hatten sich emporgewölbt wie schwarze Gitter mit Regenbogenfarben an den Rändern, die Gegenstände hatten sich verzerrt, und ihre Schatten waren mit absurden Knicken über die Wände zur Zimmerdecke gesprungen.

Selbst Menschen konnten sich derart verwandeln und in unwirklichen Stellungen erstarren, doch es war keine Sinnestäuschung, nur eine überscharfe, unheimliche Klarheit, die die Dinge von sich selber trennte.

Zum erstenmal begriff sie, es lag an ihr, zum Teil zumindest lag es an ihr, ihr Fremdsein würde sie überall begleiten und sie immer wieder unvermutet überfallen.

Sie drehte sich der schwarzen Wand des Fensters zu und stand sich wie im Spiegel gegenüber. Bevor sie sich erkannte, sah sie sich so, wie andere sie sehen mußten: ein hageres Gesicht mit tiefen Schatten, abweisend, einsam und gequält. Was will ich denn noch? dachte sie. Habe ich nicht, was ich in all den Jahren wollte, fast einen Platz an dem Ort, wo ich hingehöre?

Lisa war wütend: Jede Chance, die sich dir bietet, schlägst du aus. Wie soll dein Leben weitergehen, und wovon willst du leben?

Diesmal saß Lillian nicht auf Lisas Bett, sie saß auf einem Hocker neben Lisas abgelegten Kleidern.

Hab keine Angst, sagte sie bitter, ich falle dir nicht mehr lange zur Last. Ich habe Geld, ich habe zehn Jahre lang für diese Flucht gespart. Mit einem scharfen Schmerz hielt sie zurück, was sie erzählen wollte, daß sie in jenem Apartment in Boston nicht der Geselligkeit begegnet war, sondern ihrer eigenen Fremdheit, daß sie verstand, wie dauerhaft diese war, wie sie ihr folgte, immer schon, und daß sie sich nicht mehr von ihr befreien konnte. Und Lisa redete nichtsahnend und voll Zuversicht von Zukunft und von der Wirklichkeit, an die zu denken sei, als ob nach diesem Blick auf ihren wahren Standort davon noch etwas bliebe.

Was, fragte Lisa ungläubig, du hast gespart?

Ja, wie man in Europa spart, Monat für Monat, geduldig und verschwiegen. Jetzt fühlte Lillian sich klug und überlegen und einen Augenblick lang zuversichtlich. Und hinter Josefs Rücken, fügte sie hinzu und grinste vergnügt wie eine entwischte Diebin.

Lisa erwiderte ihr Lächeln nicht, sie war empört. Er tut mir leid, sagte sie im Ton rechtschaffener Strenge, immerhin wart ihr fünfzehn Jahre lang zusammen, und er war anständiger als du.

Lillian fühlte sich ertappt, sie kam sich plötzlich wie ein Geizhals vor, der alles, auch sich selbst, für später aufspart, dabei den Augenblick versäumt, es auszugeben, und schließlich doch mit leeren Händen dasteht. Konnte es sein, daß sie zu lange gewartet und gehortet hatte, und jetzt war dieser Lebensvorrat auch ihr versperrt? Panik erfaßte sie bei dem Gedanken, daß alles, was sie zu besitzen glaubte, rund um sie brüchig wurde und keiner seine Hand ausstreckte, um sie an festes Land zu ziehen, schon gar nicht Lisa. Vor Lisa mit ihrem unerschütterlichen Glauben, was recht und unrecht war, hatte sie versagt, und Lisas Sympathie gehörte Josef. Er hat mir immer leid getan, erklärte sie, auch damals, vor neun Jahren, als ich euch besuchte. Sie war gekommen, um Lillian nach der Geburt des zweiten Kindes zu helfen und ihr Gesellschaft zu leisten. Doch dann hatte sie die meiste Zeit mit Josef verbracht, und Lillian war daheim geblieben, während er Lisa die Umgebung zeigte.

Du seist die archetypische Fremde, hat er mir anvertraut, sagte Lisa wichtigtuerisch.

Ich weiß, weil ich mich seiner Definition von Glück nicht unterwerfen wollte. Ich dachte halt, ich sei zu Besserem gemacht als zu dem Leben, das für mich reichen mußte, weil er es guthieß, vielleicht war ich im Irrtum.

Lisa schüttelte den Kopf. Er hat gesagt, es gebe keinen Schlüssel, der zu dir paßt, er fühle sich wie der Mann in einem Buch, das er einmal gelesen habe. Es handelte von einem, der jahrelang die Frau beobachtet, in die er sich verliebt hat, aber er redet nicht mit ihr aus irgendeinem Grund, er sieht nur ihrem Leben zu, von draußen, durch ein Fenster ihrer Wohnung, sieht, wie sie ißt, sich wäscht, sich ankleidet und auszieht, sich schlafen legt, aber er weiß nicht, was sie denkt und wer sie ist und kennt auch nicht den anderen, verborgenen Teil der Wohnung. Er hat auf ihren Tagesablauf keinen Einfluß, er weiß nur, was sie tut, solange sie in seinem Blickfeld ist. So sei es ihm die vielen Jahre mit dir ergangen. Damals habe ich begriffen, wie sehr er an dir litt.

Einfältig und leichtgläubig warst du schon als Kind. Es war ein Angriff, der Lillian selbst erstaunte.

Wie unerwartet schnell ein Ende nach dem anderen über mich hereinbricht, dachte sie verwundert. Da sitzen wir und reden, und plötzlich gibt es keine Brücke mehr und keine Zukunft miteinander, nichts ist passiert als ein paar Worte, und alle Nähe ist zu Ende. So war es auch mit Alan. Danach kommt nichts, nur das Verstummen vor Vergeblichkeit, weil nichts mehr wichtig ist und man die Hoffnung aufgibt, den andern zu erreichen.

Und ich erinnere mich, sagte Lillian bitter, als führte sie ein Selbstgespräch über ein längst vergangenes, niemals verziehenes Unrecht, ich erinnere mich an eine Nacht, als ich am Küchentisch saß und weinte – den Grund habe ich vergessen, ich weiß nur, daß ich nicht mehr aufhören konnte. Und er saß zwei Schritte weit von mir entfernt und sah mir zu, ganz ruhig und distanziert, auf seine faire, tadellose Art. Du brauchst Hilfe, stellte er kühl fest, ich rate dir, geh bald zum Psychiater, bevor etwas passiert. Doch die zwei Schritte zu mir hin, die hat er nicht geschafft, statt dessen stand er auf und ging hinaus.

Wie unser Vater, sagte Lillian, als könnte sie auch damit ihre Schwester treffen. Nur von sich selbst gerührt, von seinen eigenen Phrasen und Inszenierungen.

Es war nichts mehr zu sagen, auch Lisa schwieg, und Lillian stand auf: Ich fahre morgen, sagte sie schroff. Sie war in großer Eile, wegzukommen, jede Minute in Lisas Gegenwart war Vergeudung, jedes Wort Zeitverschwendung. Sie wollte über nichts mehr reden und keinen gutgemeinten Ratschlag hören, sie wollte nicht teilhaben an Lisas Leben, nichts daran schien ihr erstrebenswert. Sie wollte nur noch fort, so rasch wie möglich, und vor der Schwester retten, was sie noch besaß. Es war nicht viel und mußte dennoch reichen für eine ungewisse Zukunft, den Neubeginn, an den sie glauben mußte, doch nicht den Neubeginn, den Lisa für sie plante. Die Schwester konnte ihr nicht helfen und nicht raten, sie sprachen nicht dieselbe Sprache. Wenn Lillian sagte, mein einziger Besitz ist die Enttäuschung, dann würde Lisa nur Unglück hören und Selbstmitleid, sie würde sagen, fort damit, vergiß es, tu etwas, um das Vergangene auszulöschen. Und Lillian konnte ihr nicht sagen, daß das Wenige, das sie noch hatte, der Rohstoff war, aus dem etwas entstehen mußte, der einzig mögliche Gewinn aus dem Verlust. Denn, wenn sie von Lillians Plan zu schreiben erführe, würde Lisa mit Begeisterung reagieren und sie bedrängen, dann fang gleich an, und jeden Tag würde sie von neuem fragen: Hast du geschrieben, kann ich es lesen? Sie würde jedes Zögern als Faulheit tadeln und immer neue Seiten fordern, nie genug bekommen, bis Lillian ihr auch die letzte Spur von Freiheit ausgeliefert hatte. Wie eine gerissene Spekulantin würde sie in die Schwester investieren, wie Bessie würde sie in Lillian die Wertanlage sehen, die Zinsen tragen mußte, und Lillians Versagen wäre ihr eigener Bankrott.

Gab es ein letztes Wort vor diesem Abschied, der eine lang gehegte Hoffnung fahren ließ? Lisa sah fragend zu ihrer Schwester auf, denn jedes Ende war für sie ein Anfang, und sie war neugierig: Was planst du jetzt, wo willst du hin? In ihrem hoffnungsvoll gespannten Blick lagen die Sätze, die Lillian nicht mehr hören wollte, sie dürfe sich nicht unterkriegen lassen, nichts sei zu Ende, alles fange erst an und werde immer besser werden, interessanter, schöner als das Vergangene. Ein ganzes funkelnagelneues Leben warte noch auf sie, doch nichts, gar nichts bekomme man geschenkt. Laß endlich das Vergangene los, verlangte sie, du kannst nicht ewig zwischen zwei Welten in der Schwebe hängen, entscheide dich, wenn du erst mitten drin bist, wird es leicht.

Doch Lillian hörte nur, daß Lisa sie verwarf, so wie sie war, sie ließ nur eine Zukunft gelten, in der sie eine andere werden mußte, und rettbar war sie nur durch Lisas guten Zuspruch. Das kannte sie bereits, die fröhliche Ermunterung, reiß dich zusammen, paß dich an und werde anders, ganz anders als du bist, dann gibt es einen Platz für dich.

Hochmütig schaute sie auf ihre Schwester herab. Was hast du schon erlebt, was weißt du schon vom

Leben, sagte sie, du hast es leicht, du hast nie deinen Platz verlassen, dein Kreis ist fest und unerschüttert abgesteckt, du sitzt in deinem eigenen Zentrum, von dort her fällt dir ein Urteil leicht, und andere Regeln sind dir unvorstellbar. Wie sehr du Josef ähnlich bist, du lebst hier in der lächerlichen Enge deiner Provinz Amerika und hältst sie für die Welt. Wie ich dich hasse in deinem selbstzufriedenen Glück, wollte sie noch sagen, doch das verschwieg sie.

Du könntest, wenn du ein wenig Ruhe brauchst, mein Haus benutzen, schlug Lisa statt einer Antwort vor. Für sie gehörte Versöhnung zu jedem Streit, der neue Anfang, der jedem Ende folgen mußte. Du kannst mit dem Pendlerbus am Abend fahren, nur kann es sein, daß Vater dort ist, er hat sich einen Schlüssel ausgeborgt. Der alte Schnorrer, sagte sie mit zärtlicher Verachtung.

Lillian schrak zurück vor dem Gedanken, dem Vater zu begegnen, mit ihm in einem Haus zu leben und hilflos das dumpfe Schweigen ihrer Kindheit wieder ertragen zu müssen. Aber es waren zwanzig Jahre seither vergangen, und er war alt, und hatte nicht auch sie an ihm versagt, ihn jedesmal für ein bißchen Zuwendung, ein wenig Lob an die Großmutter verraten, war sie ihm nicht stets ausgewichen?

Es wird nicht schwer sein, ihm aus dem Weg zu gehen, sagte Lisa. Er sitzt meist in der Diele vor dem Fernsehapparat, die Vorhänge sind zu, die Jalousien vor den Fenstern, er scheut die Menschen und das Tageslicht und friert die ganze Zeit. Und abends sitzt er nah am Kaminfeuer, kaum daß es Herbst geworden ist. Es gibt gewisse Ähnlichkeiten zwischen euch.

Lillian überhörte Lisas Bosheit. Das Haus am Meer,

der Vater, der leere Strand, der ausgestorbene Badeort im Herbst, vielleicht war dieser Zufall eine Fügung, der letzte Schritt, um sich der Arbeit zu nähern, die sich ihr seit sechzehn Jahren hartnäckig entzog? Aber zuerst mußte es zu der Versöhnung kommen, damit sie frei war, seine Erlaubnis, neben ihm zu existieren und dabei zu schaffen, würde sie beflügeln. Sie sah sich selber schon in dem Mansardenzimmer mit den schrägen Wänden sitzen, die Außenwelt nur durch den Fensterausschnitt gegenwärtig, ein Stück Strand und ein Stück Meer am Horizont, die Tageszeiten eine Folge von Lichteinfällen, die langsam ineinander übergingen und sie nicht bedrängten, Widerschein einer fernen, unsichtbaren Sonne, ein Platz, wo nichts sie zwang, sich anzupassen, und die Gezeiten ihr die Furcht vor einem neuerlichen Ende nehmen würden. Während sie schrieb. Während sie wieder den leichten Schwindel spüren würde, beim Einströmen der Wörter in die dumpfe Leere, an der sie litt, wenn die Gedanken wie von selber kamen, von einem unzugänglichen, geheimnisvollen Ort, und die Bilder sich überstürzten, mit einem atemlosen Drang, als seien die Minuten wieder kostbar, als sei das Leben wieder kostbar in diesem Rauschzustand, an den sie sich erinnerte wie an ferne Glückserlebnisse der Kindheit. Dann würde alles, was sie sechzehn Jahre lang mit tauben Sinnen und wie von fern gesehen hatte, sich mit Leben füllen, sie würde in das Vergangene tauchen, das sie für diesen Augenblick gesammelt und gehortet hatte, sie würde sich entschädigen für ihr verfehltes Leben, für das Warten, für die vielen Stationen des Verlusts. So würde sie sich rächen und sich das Leben neu erschaffen nach ihrem eigenen Geschmack, sie würde ein für allemal die Wirklichkeit erschaffen, die einzige, die blieb und zählte, denn das Erlebte würde nur Rohstoff sein, ein fehlerhafter, unvollständiger Entwurf. Sie fühlte eine Macht und eine Freiheit in sich wachsen, die sie grundlos grausam machte. Wortlos ging sie an Lisas Bett vorbei und schloß die Tür. Sie ließ die Schwester in ihrer Sehnsucht nach Verständigung und Nähe zurück, obwohl sie wußte, daß Lisa mehr als sie am Schweigen ihrer Kindheit litt und daß ihr Leben ein einziger Versuch war, sich zur Wehr zu setzen.

Den nächsten Vormittag verbrachte Lillian mit Schreiben. Es waren vorerst nur Notizen, aber die Wörter waren viel leichter bei der Hand als früher, obwohl direkt unter der Oberfläche, wie unter einem durchscheinenden Schleier, die anderen Wörter der fremden Sprache lagen und sich dazwischendrängten. Hellhörig hatte sie in den letzten Wochen von überall her Sätze aufgenommen und gespürt, wie einzelne Wendungen Resonanzen weckten, wie alte Wörter, die sie längst vergessen hatte, aus ihren Schlupfwinkeln ans Tageslicht ihres Bewußtseins krochen, anfangs noch ungelenk, doch um so unberührter, so frisch wie eben Aufgeblühtes, das man in seiner prallen Unverbrauchtheit riechen und fühlen kann. Die Sprache war der einzige Bereich in diesen Tagen des Verlusts, wo sie etwas hinzugewann, etwas, das sie wuchern lassen konnte in einer Vielfalt, die an Reichtum grenzte. Es ist nicht richtig, dachte sie, daß Wörter, die man nicht benutzt, verkümmern, die Angst war unbegründet, sie tauchen unter wie Erinnerungen und leben im Verborgenen weiter, und sie bewahren Fernes, Flüchtiges mit einer Deutlichkeit für später auf, die das Gedächtnis ohne Worte nicht besäße. Wie Sternschnuppen fing sie die neuentdeckten Wörter ein, sie redete mit sich, und manchmal lachte sie bei einem Satz, der ihr gefiel. Noch vermied sie es, sich der Erinnerungen zu bemächtigen, die in der anderen Sprache lagen, sie wollte vorerst bescheiden sein und bei den simplen Dingen bleiben, den allerersten Namen für Stimmungen und Tageszeiten, für Bedürfnisse, wie sie die Kinder haben. Ich schaffe nur die Basis, dachte sie, das Schwierige kommt später, jetzt will ich Namen für die Farben und für Gerüche finden, für den Stand der Sonne und für den Zustand meines Körpers. Doch trotz ihrer Manie, Wörter zu entdecken, schloß sich der Abstand zwischen ihnen und den Gegenständen nie auch nur einen Augenblick lang. Die neu belebte Sprache war nur Spielzeug, in dem sie selbstvergessen wühlte. Und schließlich gab sie ermüdet auf und fand beim Durchlesen nur einzelne Namen und Wendungen, die sich ohne Zusammenhang farblos ausnahmen und keinen Sinn ergaben. Wenn ich erst Ruhe habe, sagte sie sich, wenn ich Natur um mich habe, wenn niemand sich an meine Gegenwart erinnert, wird es gelingen, es muß gelingen, sonst hat die ganze Vergangenheit keinen Sinn gehabt.

Lisa kam früher von der Arbeit als gewöhnlich, um Lillian zum Busbahnhof zu bringen. Was sollten sie einander zum Abschied sagen? Aus unseren Hoffnungen ist nichts geworden. Wir waren zu verschieden, schon als Kinder, unsere Versuche, das Leben zu ertragen, schließen einander aus. Aber was wußte Lillian schon von ihrer Schwester, was wußte sie von anderen Menschen, was wußte sie von dieser Stadt, die sie so schnell wieder verließ? Sie brach immer nur auf, jedesmal, ohne hinzugelernt zu haben, ohne Gewinn, zu blind zum Suchen, zu ungeschickt zur Flucht.

Lisa trug ihr den Koffer, das Schweigen schien sie zu quälen. Sie sah die Schwester schüchtern von der Seite an, begann etwas zu sagen, schwieg und wehrte ab. Es ist nichts, ist nicht wichtig. Sie wich im Busdepot nicht von Lillians Seite, stand neben ihr am Schalter, ging unbeirrt wie eine Mutter, die ihr Kind auf seine erste Reise schickt, mit ihr zum Bus hinaus, noch an der Tür hielt sie sich dicht an sie und faßte ihren Arm, umarmte sie mit einer Heftigkeit, die Lillian peinlich war. Zu große Nähe war ihr immer peinlich. Ich komme dich besuchen, sagte Lisa, ich habe ja niemanden außer dir. Von ihrem Sitz hinter getöntem Glas sah Lillian auf ihr Gesicht hinunter, ein sehr verlassenes Gesicht.

Sie war erleichtert, aus der Stadt hinauszufahren. Verlassen war das Einfachste, und sie war schon geübt darin. In dem Bus, hinter den blaugetönten Fensterscheiben, saß sie so hoch über den Straßen, in denen der Tag hektisch zu Ende ging, daß sie an nichts mehr teilzuhaben brauchte, sie konnte zusehen, es ging sie nichts mehr an, sie war schon weiter in Gedanken, schon draußen auf dem Land, wo alles anders war und besser zu ihr passen würde, das Tempo langsamer, die Farben bunter und die Konturen nicht so schroff.

Sie fühlte kein Bedauern, als sie aus Chinatown hinaus geradewegs auf die Autobahn nach Süden fuhren, es kam ihr wie ein Atemholen vor nach einem blinden Ausharren unter Wasser, die tiefstehende Sonne, die die Ferne löschte, die schnelle Fahrt, so zielstrebig geradeaus, als säße sie in einem Flugzeug, fast dieselbe uneinholbare Freiheit, als wäre ihr wieder einmal eine Flucht Hals über Kopf gelungen. Wie oft noch, fragte sie sich, bis sie ihren Koffer endgültig auspacken und die mitgebrachten Dinge um sich aufstellen konnte, in einer Parodie von einem Zuhause? Und wenn ich aussteige, dachte sie, bevor der Bus nach Osten abzweigt, und nach Süden fahre, immer weiter, an New York vorbei, oder nach Westen bis zur anderen Küste, überallhin, und nirgendwo länger bleiben, bis ich erschöpft bin und abgestumpft, bis jeder Ort mir recht ist? Der ganze Kontinent steht zur Verfügung, und eine Haltestelle ist so recht und schlecht wie jede andere, denn nirgends wartet jemand, um mich abzuholen.

Die Straße war gerade wie eine kilometerlange Startbahn, und nur die weitgespannten Straßenschilder täuschten Ziele vor, *Fall River Expressway* bedeutete noch immer einen Herzsprung Freude, Ferien am Meer, Wiedersehen mit Lisa und die verwegene Leichtigkeit bei zuviel Wein spät nachts auf der Veranda. Zu beiden Straßenseiten glühten Laubwälder und Büsche in den dunkelblauen Himmel, ihr rotes und dunkelgelbes Brennen berauschte sie, es war gewalttätig wie ein Waldbrand, der nichts verzehrte, doch weiterbrennen würde, bis der Frost ihn löschte. Dazwischen standen einzelne, leergebrannte weiße Baumgerippe, die Farben waren heftig wie ein stechender Schmerz, und die in Brand gesetzten Äste so verzweifelt grell, daß ihr der *Indian Summer*, den sie Claudine so oft beschrieben hatte, diese sanfte Jahreszeit, plötzlich wie ein stummes Morden erschien, ein meilenweiter Brand entlang der Küste über den ganzen Landstrich. Sah sie als einzige die Verwüstung mit einer unbestimmten

Angst, einer Vorahnung, die sie nicht begriff? Vor dem Winter, der Einsamkeit, vor einem neuen Verlust? Sie saß an ihrem Fenster, hilflos vor so viel Schönheit, die sie mit niemandem teilen und wirklich machen konnte. Wem sollte sie erzählen, daß sie es gesehen hatte, wer sollte von ihr erfahren, daß es jetzt geschah und bald vorüber war, so spurlos, daß ihr niemand glauben würde? Was war ihr Zeugnis mehr als ein paar dürre Worte: Der Herbst entlang der Autostraße, die Laubverfärbung... war sehr schön.

Manchmal hatte sie versucht, sich Josef mitzuteilen: Der Kirschbaum dort am Hang, direkt vor unserem Küchenfenster, schau hinaus, schau, wie er blüht! Und Josef hatte einen kurzen Blick hinausgeworfen: Ja, schön, wie er blüht, hatte er gesagt, so unbeteiligt, daß ihr der Baum für eine ganze Jahreszeit erloschen war. Hörst du, hatte sie zu Claudine gesagt, wie die kahlen Bäume im Herbststurm ihre Geweihe wetzen und wie sie ächzen? Bäume haben Äste, kein Geweih, hatte Claudine sie berichtigt, und sie hatte recht, es war kein geglücktes Bild. Später, erst vor einem Jahr, hatte sie sich Alan als Zuhörer erfunden. Er konnte ihr nicht widersprechen, er war so fern, daß er ihr glauben mußte, wenn sie schrieb: Das erste helle Grün ist in den Bäumen, der Föhnsturm reißt an ihren Zweigen, und das Gebirge dringt kahl und schwarz ins Tal herein und macht mir angst, ich wünschte so sehr, du wärst hier. Erst seit sie ihm davon berichten konnte, waren die Landschaft und die Stadt, in der sie lebte, wirklich geworden, als gäbe es keinen anderen Ansporn als Abwesenheit und Sehnsucht, um jenes heftige Begehren auszulösen, das ihr die Wirklichkeit verwandeln konnte in ein Bild, vollendet und unberührbar wie unter Glas und aufbewahrt, damit ein anderer es betrachte, weil sie allein sich seiner Schönheit nicht gewachsen fühlte.

Die Sonne stand tief hinter langen Schatten, als der Bus in Dennis ankam, ein Badeort, der bereits die verdrossene Melancholie der Wintermonate zur Schau trug, als hätten die letzten Urlaubsgäste vor ihrer Abreise die fröhliche Betriebsamkeit der Sommermonate getilgt. Lustlos und schläfrig lag die Main Street in der Abendsonne, die Souvenirs in den Auslagen stellten schamlos ihre mickrige Häßlichkeit zur Schau, und an den Eingangstüren hingen abweisende Schilder: *Closed. Vacation.*

Sie traf auf ihren Vater unerwartet, während sie zwischen Pinien und Akazienbüschen über den Sandweg mit den tiefen Fahrspuren stapfte. Da stand er in der Einfahrt, leicht vorgebeugt, um sie im Gegenlicht der untergehenden Sonne zu erkennen. In weiten, ausgebleichten Hosen, kleiner und schmaler, als sie ihn in Erinnerung hatte, enttäuschend klein und unbedeutend, verglichen mit dem hoch aufragenden breiten Schatten, als der er ihr Leben verdunkelt hatte. Ein schlaffer, ausgelaugter Mensch mit müden Augen. Er wirkte nicht einmal unnahbar, nur von sich selber wie getrennt, als müßte sie den wahren Vater irgendwo anders suchen, vielleicht im Haus oder in den Dünen, als wäre dieser hier nur sein Vorläufer, ein verlorener Landstreicher, der zufällig vor dem Haus stand und sie neugierig betrachtete.

Hi, Dad. Sie küßte seine schlaffe Wange, die sich kalt und trocken wie Papier anfühlte, und spürte, wie sie selber kalt und stumpf wurde in seiner Nähe. Freute er sich? War ihm ihre Ankunft lästig wie früher ihre Gegenwart, war sein verschlossenes, gleichgültiges Gesicht die trügerische Oberfläche großer Tiefe oder ein blanker Spiegel, der kein Bild mehr aufnahm? Sie wagte nicht zu fragen, freust du dich, überrascht es dich, daß ich so unvermutet vor dir stehe? Sie wagte nicht einmal zu fragen, kann ich bleiben? Er lächelte ein leeres, verlegenes Lächeln, das seinem mürrischen Gesicht nicht stand, nur mit dem Mund und den Falten, die ihm wie einem Hund über die Kieferknochen hingen, die Augen blickten kalt und unbeteiligt.

Hallo, kid, sagte er und ging voraus durch den tiefen Dünensand, den er mit seinen nackten Zehen pflügte.

Sie traten in das Dunkel der Diele, eine Höhle, wie Lisa sie ihr beschrieben hatte. Ein licht- und menschenscheues Höhlentier war der Vater wie eh und je, das der Wirklichkeit feige auswich und eine Scheinwelt, die ihm keiner glaubte, mit Lemuren füllte, mit Totgeburten, die gestelzte Sätze sprachen. Schon Bessie hatte ihn durchschaut. Du versagst aus Feigheit, hatte sie ihn angeschrien, aus Feigheit vor der Wahrheit, schreib doch, was wirklich war. Aber er schrieb Geschichten, in denen Schuld nicht vorkam, erbauliche Geschichten, in denen edle Menschen um ein gutes Ende kämpften, Geschichten voller Zuversicht, die der Zynismus, den er lebte, Lügen strafte. Schreib über Muriels Tod, verlangte Bessie, schreib über deine Schuld und deinen Schmerz, wenn du erfolgreich sein willst. Die Kinder horchten gespannt den totgeschwiegenen Sätzen nach. Es war ein Unfall, sagte er, dazu ist nichts zu sagen, ein Tod wie jeder andere, das ist kein Stoff.

Nur eine einzige, sinnlos makabre Anekdote hatte

Lillian behalten, sie hatte als Kind dabeigesessen, als er sie einem Freund erzählte, und sie hatte sich ihr eingeprägt wie eine Szene aus einem frühen Stummfilm. Wie er mit seinem Schwager Harry nach dem Unfall, den Arm und die gebrochenen Rippen eingegipst, durch die Krankenhauskorridore schlurfte, auf der Suche nach etwas zu trinken. Und wie der Becher festklemmte, während das Sodawasser aus der Fontäne sprudelte und rann und nicht mehr aufhörte, zu sprudeln und den Becherrand zu überfluten. Wir haben uns ausgeschüttet vor Lachen, erzählte er, und Muriel war erst seit ein paar Stunden tot! Ich habe nicht weinen können, aber lachen wegen dieses Automaten, obwohl es mir höllisch weh tat in den Rippen. Und als er die Geschichte seinem Freund erzählte, hatte er wieder lachen müssen, ein klägliches Lachen, das wie ein Winseln klang. Vielleicht habe ich von ihm gelernt, nie angemessen zu reagieren, dachte sie, mich taub zu stellen, um den Schmerz zu meiden.

Er machte alle Lichter an, als herrschte draußen tiefe Nacht. Das ist mein Arbeitszimmer, sagte er, ich arbeite besser bei künstlichem Licht. Er war so linkisch, so verlegen, als hätte er seit Jahren keinen Gast gehabt. Möchtest du Tee?

Nein, ich bin hungrig, sagte sie rücksichtslos. Er folgte ihr in die Küche, stand an den Herd gelehnt, während sie sich ein Brot mit Käse belegte.

Hattest du eine schöne Fahrt?

Ja, es ist Herbst, sagte sie und schwieg gleich wieder, als wäre jedes Wort eine Vergeudung.

Das Schweigen dauerte und schwoll so unerträglich an, daß sie es schließlich brach. Gehst du viel spazieren?

Nein, sagte er, ich sitze auf der Veranda, wenn ich draußen bin, aber meistens bin ich hier drinnen.

Arbeitest du?

Ja, und ich verdiene Geld. Er stieß ein kurzes Lachen aus. Das hätte deine Großmutter erleben sollen!

Was schreibst du?

Für eine Möbelfirma und für einen pharmazeutischen Konzern.

Sie sah ihn fragend an.

Er stellte sich in Pose: Das hier ist Jim Hennings, er litt an Hämorrhoiden, doch jetzt lacht er wieder, jetzt sitzt er sieben Stunden täglich schmerzfrei im Büro und fühlt sich wie ein neugeborener Mensch, dank Bonfarol. Nehmen Sie Bonfarol, wenn Schmerzen Ihnen die Arbeitsfreude nehmen.

Du schreibst Werbetexte? fragte sie entsetzt.

Natürlich. Er lachte sein klägliches Winseln. Ich habe herausgefunden, wie man sich verkauft.

Dazu war nichts zu sagen, er war kein Künstler mehr, kein Schriftsteller, er war ein Werbetexter, der schmerzstillende Mittel anpries. Sie wollte ihn nicht fragen, ob er litt, ein Werbetexter hatte nicht das Recht zu leiden – fragt man denn einen Lügner, ob er an der Wahrheit leidet? Es gibt kein Scheitern, hatte Lisa ihr erklärt, man macht bankrott und fängt von vorn an. Er stand ihr nicht mehr im Weg mit seinen mißratenen Weltentwürfen. So groß war die Verachtung, daß sie sich eine schmerzlich herablassende Liebe leisten konnte. Ihr Vater war ein alter, bedauernswerter Narr, sonst nichts.

Sie trug den Koffer hinauf in die Mansarde. Dort war es stickig, ungelüftet, der ganze heiße Sommer schien hier alt geworden. Sie schob das Fenster hoch, das Fliegengitter ließ sich nicht bewegen, ein feines Maschennetz, das sie in der Mansarde wie in einer Zelle einschloß, man konnte nur davorstehen und die Stirn anlehnen in einer Geste ergebener Resignation. Vom *marshland* drang der dumpfe Chor der Ochsenfrösche herauf, dahinter grollte schwach die Brandung. Sie hatte keine Wahl, als sich zu sagen, sie sei angekommen. Wohin sollte sie sonst auch noch gehen? Von jetzt an würden alle Gehäuse gleich aussehen, kleine Zimmer mit einem Bett und unterschiedlichem Komfort, Tisch, Sessel, Kleiderschrank, die Zimmertür die Grenze ihres Reiches. Und das Fenster. Sie mußte stehen, um hinauszusehen, so hoch und klein war es.

Sie leerte den Inhalt ihres Koffers auf dem Bett aus, hängte die Kleider in den Schrank, legte das Schreibzeug, dazu zwei volle Hefte und ein leeres, auf einen kleinen Schreibtisch unter dem Fenster. Sie würde schreiben müssen mit dem Gesicht zur Wand, nur wenn sie aufsah, erblickte sie ein Stückchen Himmel. Jetzt war es eine sternenlose Schwärze.

Sie setzte sich aufs Bett. Nichts war mehr zu erledigen, damit der Anfang freilag. Früher hatte sie immer nachts geschrieben oder im Zwielicht zwischen Tag und Nacht. Doch gab es keinen Trick und keine Formel, die vielen Jahre zu überspringen, um an bereits Besessenes anzuknüpfen: sie mußte langsam rückwärts gehen, von Schmerz zu Schmerz. Sie mußte lernen, vor ihm stillzuhalten, bis sie mit ihrem ganzen Körper in seinem Schraubstock steckte. Sie mußte sich schütteln lassen von ihren Schuldgefühlen, von ihrer Ohnmacht vor dem Verrat, den sie begangen und den sie erlitten hatte. Sie mußte hinabsteigen zu dem Zwiespalt, der sie zerriß, von Anfang an, lange vor der sichtbaren Selbstentfremdung in Europa. Und durfte nicht versuchen zu versöhnen. Kein schmerzstillendes Mittel mehr gegen die Doppelung und die Entzweiung, auch keine Flucht, nicht einmal den Versuch, den einen Schmerz durch einen anderen, weniger scharfen zu ersetzen. Bankrott zu machen und neu anzufangen würde ihr nicht gelingen, das wußte sie, denn immer würde eine Hälfte von ihr fehlen, ein Zentrum ihrer Schwerkraft sich an einem unerreichbaren Ort befinden. Das unterschied sie von den Ungeteilten, die eine klare Vorstellung von ihrem Standort hatten. Sie wußte nicht einmal, für wen sie schreiben sollte, denn niemand würde ein Verdienst in ihrem Hochmut sehen, mit dem sie sich in ihren Schmerz hineingrub und jede Lösung von sich wies. Sie war schon viel zu vielen Lösungsversuchen aufgesessen, verlockenden Symbolen, in denen sie sich eitel spiegeln konnte, ein ganzes Spiegelkabinett von Ausflüchten. Jetzt wollte sie an kargen Orten sammeln und sich an Gegenstände halten, die nichts reflektierten.

Und wenn nichts dabei herauskommt? dachte sie entsetzt. Wenn auf dem Grund des Zwiespalts kein Boden war, auf dem sie stehen konnte? Doch mußte nicht von beinahe vier Jahrzehnten etwas übrigbleiben, einige dauerhafte Bilder und ein paar Gefühle? Das mußte hinreichen als Standort und die geduldige Erwartung, daß diesmal ihr Blick das Eingesammelte verwandeln konnte. Es mußte ihr gelingen, es gab sonst keine vorstellbare Zukunft, und auch die Vergangenheit wäre ohne Schreiben sinnlos.

Sie wollte nicht rücksichtsvoll und edel sein, sondern alles nutzen, sezieren, untersuchen und neu zusammensetzen, die Wirklichkeit vernichten und neu errichten, sie sogar umlügen bis zur Unkenntlichkeit, um ihr ein bißchen Wahrheit zu entreißen.

Es kann beginnen, dachte sie, morgen fange ich an.

Sie ging hinunter, dem Alten gute Nacht zu sagen, sie spürte eine Anwandlung von Großzügigkeit in ihrem vorweggenommenen Reichtum. Er saß vor dem Kamin und schnarchte leise, um die verkohlten Holzscheite ringelten sich bläuliche Flammen, der Fernseher flimmerte ohne Bild.

Ihr Schlaf wurde von Alpträumen zerstückelt, Fluchtträumen, in denen sie nie ankam, in denen sich ihr Haus, wenn sie sich näherte, jedesmal in ein anderes, nie zuvor gesehenes verwandelte. Sie war mit dem Fahrrad unterwegs aus dem Gebirge in das Flachland, um ein Flugzeug zu erreichen, doch sie geriet in immer engere Täler mit immer schrofferen, ausweglosen Felswänden zu beiden Seiten. Es nützte nichts, daß sie sich selber und alle längst vergessenen Bekannten, die sie unterwegs traf, zur Eile antrieb. Jedesmal, wenn sie erwachte, war die Erinnerung an ihr mit Hast verfolgtes Ziel verschwunden, und nur die Eile blieb, die Unrast, das Hämmern in den Schläfen, die verzweifelte Gewißheit, daß eine letzte, kostbare Zeit verlorenging.

Sie stand früh auf und ging zum Strand hinunter. Über den Dünen kreisten späte Zugvögel, zogen schräge Schleifen und ließen sich auf Telegrafendrähten nahe der Feriensiedlung nieder. Weißer Nebel lag dicht über dem Boden, die Strandkiefern mit ihren porösen Stämmen traten ihr einzeln entgegen wie verschwörerische Hexen. Die unsichtbare Sonne sickerte in ihre Wipfel, und auch die gelben Blätter der Büsche, die den steilen Hang der Düne säumten, schienen ein Leuchten auszuströmen, das keinen wahrnehmbaren Ursprung hatte. Der Strand war lichtlos und verlassen.

Sie stand am Rand der Düne, bis sie fror, und wartete, das Schreibzeug in der Hand, dachte, das Meer, der Sand, der frühe Morgen, horchte in sich hinein, nichts regte sich, die Wörter fielen ohne Widerhall und blieben liegen, ihr Kopf schien bis zum Bersten angefüllt mit Leere, ihr Körper bebte vor Kälte. Enttäuscht ging sie zum Haus zurück.

Ihr Vater saß am Küchentisch, sie setzte sich zu ihm, er sah sie mürrisch, fast feindselig an. Der Morgen ist für mich das Schlimmste, sagte er, ich bin seit langem nicht gesund, Schmerzen im Kreuz, in den Gedärmen, nicht unerträglich, aber ständig spürbar, sie lenken ab, lenken die Aufmerksamkeit auf den Körper, aufs Vegetieren, dabei bleibt wenig übrig, was sich lohnt. Es ist schon mühselig genug, die alte Maschine in Gang zu halten, sie an der Grenze zur Schmerzfreiheit zu halten, kraftlos, mit einer Willenslähmung bis in die Fingerspitzen.

Was sagte der Arzt? fragte sie widerwillig.

Er überhörte ihre Frage. Ich möchte sterben, sagte er mit einem verschmitzten Grinsen, und gleich wieder auferstehen, verstehst du, nach einem kurzen Vergessen, das anhält und so vollständig ist, als wäre vorher nichts gewesen. Eine Art Seelenwanderung zurück in meinen eigenen Körper. Oder ich möchte zwei Identitäten haben, das hätte ich mir oft gewünscht, zwei Namen, zwei Gesichter, am Rande des Kriminellen und nicht zu fassen.

Sie schwieg dazu. Mein Leben hätte er sich gewünscht, dachte sie bitter.

Du willst wahrscheinlich wissen, sagte er, warum ich nicht mehr schreibe.

Sie schüttelte den Kopf, dachte, nichts will ich wissen, nicht einmal ansehen will ich ihn, wie er verbraucht und ungewaschen dasitzt und räsoniert, doch sie blieb gegen ihren Willen bei ihm sitzen und goß sich eine zweite Tasse Tee ein.

Ich habe aufgehört zu schreiben, sagte er, weil ich mich nicht für Menschen interessiere. Ich bin nicht neugierig auf sie, sie sind mir allesamt zuwider, deshalb hab ich mich hier in die Einsamkeit zurückgezogen. Nur leider bin ich ein urbaner Mensch, die Landschaft läßt mich kalt, ich kann ihr keine Zeile abgewinnen. Und überhaupt, wozu etwas beschreiben, das keinen interessiert? Was lesen denn die Leute? Werbung.

Doch jedesmal, wenn ich die Biographie von einem großen Dichter lese, sagte er leise, mit einem sehnsüchtigen Blick zur Tür, als hätte er vergessen, daß sie neben ihm saß, wie unlängst, da habe ich mir ein Buch über Hawthorne aus der Bücherei geholt, dann weiß ich wieder, wofür ich eigentlich leben wollte. Früher hab ich geglaubt, ich müßte mir nur die richtigen Bedingungen schaffen, die richtige Stimmung, die passenden Lichtverhältnisse, vielleicht ein paar Wochen von euch weg in einer Künstlerkolonie, dann würde die Inspiration von selber kommen. Du hast ja keine Ahnung, wie das ist, wenn man die absolute Ruhe zum Schaffen braucht und eingesperrt ist in einem Narrenhaus, mit einer wahnsinnigen Alten und zwei kleinen Kindern. Ich war ja euer Kindermädchen, bis ihr erwachsen wart, darüber vergingen mir die kreativsten Jahre. Und dann, nach all den Jahren, kam das Stipendium, von dem ich mir soviel erwartet hatte, vier Monate bezahlt und ohne Sorgen, im Herbst mitten im Pinienwald, das Herbstlicht zwischen den Stämmen, die Farben nach zwanzig Jahren Stadt mit langweiligen Mauern vor dem Fenster. Ich saß vor meiner Schreibmaschine und konnte mich nicht konzentrieren, nicht auf die Natur um mich herum, auf nichts. Ich las, um mich zu inspirieren, und behielt nicht ein einziges Wort von dem Gelesenen – vor jedem Satz stand ich verzagt wie vor einem Hindernis, das ich nicht überspringen konnte. Trotzdem habe ich in den vier Monaten ein Manuskript begonnen und es herumgeschickt. Du weißt ja, wie das ist.

Sie stand mit einer jähen Bewegung auf, beherrscht, aber am Rande des Erstickens vor Bitterkeit und Haß.

Er redete weiter, als hätte er ihr Aufstehen nicht wahrgenommen.

So ist das, sagte er, je älter man wird, um so kleiner und dunkler wird die Zukunft, bis sie auf einmal ganz verschwindet, die Lebenszeit nährt sich von der Zukunft, frißt sie in sich hinein und scheidet sie als sinnlos vertane Jahre aus. Da rettet einen nur der Sprung in etwas ganz Verrücktes, Neues, mit dem man selber nichts zu tun hat.

Lillian stand schon am Fuß der Treppe. Der Preis des Selbsthasses ist immer hoch, wollte sie sagen, doch alles, was ihr einfiel, womit sie ihn treffen konnte, war wie ein Kommentar zu ihrem eigenen Leben. Jedes Wort wäre bloß ohnmächtige Selbstverletzung gewesen. Außerdem war er so in sich vertieft, daß er es nicht einmal wahrnehmen würde. Erst vom oberen

Treppenabsatz aus rief sie hinunter: Hast du nie daran gedacht, dich umzubringen?

Doch, rief er zurück, ich fürchtete nur, ich könnte es überleben.

Lange saß sie wie betäubt auf ihrem Bett, es war erst Mittag, und der Tag schien schon zu Ende. Es war, als hätte der Vater ihr eben ihr eigenes Leben vorgeführt. Nichts blieb hinzuzufügen, alles war deutlich sichtbar bis in die ferne Zukunft, als wäre es bereits gelebt. Sie konnte ihn und dieses Haus verlassen, jetzt sofort, es war gleichgültig, wohin sie ginge, ankommen würde sie nie. Sie würde in Nächten auf fremden Betten von engen Alpentälern träumen, auf der Flucht sein vor Menschen, die in einer fremden Sprache redeten, und tagsüber würde sie sich nach ihnen sehnen und sie beschreiben, Seiten mit ihnen füllen und sich nach ihrem fernen Leben verzehren, so daß sie darüber ihr eigenes vergaß. Von Zeit zu Zeit würde sie den Aufenthaltsort wechseln, am frühen Nachmittag aus einem Zug aussteigen, aus einem Autobus, zerknittert, mit einem verstörten Gesichtsausdruck, und ihre Zukunft würde nicht mehr zählen. Dann würde sie vielleicht die Tage zählen, bis ihre Kinder sie besuchten oder bis sie zu ihnen fliegen durfte.

Sie nahm die Kleider aus dem Schrank und packte ihren Koffer. Morgen fahre ich, dachte sie.

Sie ging, um die Begegnung mit ihrem Vater zu vermeiden, durch die Verandatür ins Freie, den Dünenweg entlang, zum zweitenmal an diesem Tag zum Strand. Die Ferienhäuser waren blendend weiß, wie Schnee im Hochgebirge, von einer stechenden Gewittersonne angestrahlt. Vom Meer her wälzte sich eine schwarze Wolkenwand heran. Ein schlechter Zeitpunkt, das Haus zu verlassen. Doch sie ertrug nicht länger die Nähe des alten Mannes, der ihr Vater war, dieses Zukurzgekommenen, der keine Schuld empfand für sein Versagen, kein Mitgefühl, nicht einmal Neugier, nur Selbstmitleid.

Aber was hatte ich denn von ihm erwartet, fragte sie sich. Ein bißchen Interesse an ihrem Leben, ein Gespräch, in dem er sie als seine Tochter annahm und zu ahnen begann, was er an ihr verbrochen hatte, vielleicht eine Entschuldigung und, wenn das zuviel war, eine Spur Wärme, ein wenig Freundlichkeit. Ich bin ja doch sein Kind, dachte sie, so etwas wie ein Werk. Sie sah sich wieder als Sechzehnjährige ihm gegenüber in der Küche sitzen, während er mit einem ironischen, fast höhnischen Gesichtsausdruck ihre Gedichte las und sie ihr einzeln, Blatt für Blatt, herüberreichte, wortlos, ohne Lob, auch ohne Tadel, als wäre selbst sein Tadel schon zuviel Anerkennung.

Auf einmal war die Sonne verschwunden, und nur ein schmaler gelber Rand säumte die aufziehende Schwärze, am Horizont verschmolz das Meer bereits mit dem grauen Schleier des Wolkenbruchs. Mit einer jähen Dunkelheit brach auch an Land der Sturm los, legte sich knirschend in die Masten der Kiefern und trieb die letzten gelben Blätter vor sich her. Die erste Regenbö durchnäßte sie bis auf die Haut, sie lief zum Haus zurück, schlich durch die Küche zur Mansardentreppe, sah in der Dunkelheit der Diele das kalte Licht des Fernsehapparates flimmern und dachte, wenn doch der Blitz einschlüge und dieses ganze Haus mit ihm und seinem Fernsehapparat und seinen Werbetexten in Schutt und Asche legte.

Zum erstenmal seit ihrer Ankunft in New York zählte Lillian die Stunden, die sie von Europa trennten. Nein, sie wollte niemanden erschrecken, es sollte drüben keiner wissen, wie es um sie stand. Sie wollte nur beiläufig fragen, hallo, ihr drei, braucht ihr mich noch, ist bei euch noch ein Platz für mich frei?

Vielleicht ließ sich der Kreis noch schließen zu einem anderen Anruf, einem spontanen Einfall an einem späten Frühlingsnachmittag vor sechzehn Jahren: Ich habe genug von dieser Stadt und von dem Leben hier, was denkst du, soll ich kommen? Und Josef war sofort hellwach gewesen, um ein Uhr nachts, sie hatte sich nicht überlegt, wie spät es bei ihm war, so sicher war sie seiner gewesen. Mein Gott, hatte er gerufen, du machst mich wahnsinnig vor Glück.

Er mußte sie zurücknehmen, schon um der Kinder willen, wenn nicht seinetwegen. Sie wußte, er würde ohne sie lange noch einsam sein, und sie war überzeugt, er mußte sie noch lieben. Die Kinder würden glücklich sein, wie sollten ihre Kinder sie nicht mehr wollen, wen gab es denn, der ihnen näher stand? Was waren die wenigen Wochen, die sie fortgewesen war, gegen die vielen gemeinsamen Jahre? Ein paar Wochen Urlaub. Es stimmte, sie hatte es nicht so geplant, wie es gekommen war. Ein neues Leben hätte beginnen sollen, der große Ausbruch in die Freiheit. Er war nicht gelungen, es war ein kurzer, mißlungener Versuch, aber sie kam zurück. Wohin sollte sie sonst gehen? Sie waren ihre Familie, die ihr näher stand als der Vater und die Schwester, von Alan ganz zu schweigen. Sie freute sich auf ihre Stimmen, die Aufregung, du kommst zurück? Wann kommst du? Bald? Morgen, übermorgen?

Nur eine halbe Nacht noch bis zum Morgen, dem frühen Morgen in Europa, nur bis nach Mitternacht, ein paar schleppende, endlose Nachtstunden, in denen sie nichts tun konnte als der Brandung lauschen, dem Ticken ihrer Armbanduhr, dem Aufprall der Insekten am Moskitonetz vor dem Fenster. Bald würde sie von diesem Mansardenzimmer, diesem Haus und ihrem Vater erlöst sein.

Die Stunden vergingen anders, wenn man die fremde Zeit mitzählen mußte, halb so schnell, und manchmal schien die Zeit, durch die Verdoppelung aus ihrem Gleichgewicht gehoben, stillzustehen, und es gab Pausen, in denen jeder Sinn für die Gegenwart wich. Sie meinte, die nachtschwarze Gebirgswand der Nordkette vor den Fenstern zu sehen, es war kurz nach Neumond, doch konnte sie von ihrem Mansardenfenster aus nur graue Regenschleier erkennen. Drüben in den Bergen ging vielleicht gerade ein strahlender, trockener Herbst zu Ende, mit einer zarten, glasharten Mondsichel zwischen zwei Gipfeln, ein junger Mond, leicht wie ein Silberspan in der frostklaren Nacht. Oder es schneite schon im Hochgebirge, und am Morgen leuchteten die Bergzacken weiß ins Tal, die Kinder trugen bereits Mäntel auf dem Weg zur Schule. In einem sonnigen, bis spät in den Oktober hinein milden Herbst war sie fast jeden Tag mit der neun Monate alten Claudine aufs Land hinaus gefahren, hatte von dem hüfthohen, blau und lila blühenden Unkraut an den Straßenrändern große Sträuße gepflückt und alle Zimmer damit vollgestellt, bis Josef heimgekommen war mit einem Riesenbouquet roter Rosen: Wirf doch das Unkraut weg, du brauchst doch nicht dein Heim damit zu schmücken.

Sie hatten nie verstanden, was sie einander sagen wollten.

In einem anderen Herbst, als sie ihn kennenlernte, hatte er sie zu einem Ausflug eingeladen. Mit seinem Motorrad waren sie zu einer Ruine im Waldviertel gefahren, an einem strahlenden Sonntagnachmittag. Er hatte sich bei Freunden erkundigt, was Amerikaner gerne mögen. Was alt ist, imponiert ihnen, hatte man ihm gesagt, je älter, desto besser. Sie waren über Mauerstücke und Geröll geklettert und durch Brennesseln gewatet, und manchmal hatte er sie scheu am Arm berührt. Als es dunkel wurde, begann es zu regnen, und es war kalt geworden. Sie trug nur eine Bluse und zitterte vor Kälte. Josef zog seine Jacke aus und hängte sie ihr um. So fuhren sie nach Wien zurück. Als er, bis auf die Haut durchnäßt, sie vorsichtig in ihrem Zimmer küßte, es war das erste Mal, hatte er sie gefragt, ob er jetzt du zu ihr sagen dürfe. Sie wußte nicht mehr, ob sie ihn damals dafür liebte, jetzt tat sie es mit nachgetragener Reue.

Um ein Uhr nachts wählte sie seine Nummer, sie wußte, wo das Telefon stand, sie wußte, daß die Kinder noch schliefen und daß sein Wecker eben, vielleicht gleichzeitig mit dem Telefon, geklingelt hatte. Er nahm sofort den Hörer ab, mit einer kleinen verschreckten Morgenstimme.

Josef, ich bin's, rief sie dankbar, daß er wie immer da war.

Ja? Er war ganz wach, und seine Stimme verriet keine Überraschung, keine Freude, auch keine Abwehr. Ist alles in Ordnung?

Ich bin's, wiederholte sie, als gäbe es für sie, wenn er es erst begriff, eine besondere Begrüßungsformel.

Wie geht es euch, vermißt ihr mich? Verzweifelt forderte sie ein Gefühl, irgendein Zeichen, daß sie zu ihm gehörte wie eh und je.

Danke, sagte er freundlich und distanziert, es geht uns gut, wir kommen gut zurecht.

Er wußte ja noch nichts von ihrem fortgesetzten Scheitern, er dachte vielleicht, sie rufe ihn aus Alans Wohnung an, um mit ihrem Glück sein mühsam wiedergewonnenes Gleichgewicht zu stören.

Bei mir ist alles schiefgelaufen, sagte sie beherrscht, um nicht gleich loszuheulen, als müßte sie sich jetzt, in diesem Augenblick, ihrem wochenlangen Elend endgültig ergeben.

Das tut mir leid, sagte er kalt. In demselben Ton hätte er sagen können: Das geschieht dir recht.

Josef, ich glaube, ich komme zurück. Sie wartete mit angehaltenem Atem.

Das würde ich mir an deiner Stelle überlegen, sagte er sachlich, als ginge es darum, mit einer flüchtigen Bekannten Vor- und Nachteile eines Umzugs abzuwägen.

Warum? Es fing in ihrem Kopf so laut zu rauschen an, daß sie ihn kaum mehr hören konnte.

Erstens, zählte er ruhig auf, müßtest du eine Wohnung finden, das ist nicht einfach und kann Wochen dauern, und einen Job...

Sie hörte nicht mehr zu. Vermissen mich die Kinder? unterbrach sie ihn.

Nein, wir fühlen uns sehr wohl, so wie wir leben.

Auch Niki nicht? Jetzt war ihre Stimme schrill, ein unterdrücktes Winseln wie das Lachen ihres Vaters.

Niemand vermißt dich hier. Josef war nur gerecht, er gab zurück, was er ertragen hatte.

Dann grüße sie, und alles Gute. Und sie fing hemmungslos zu weinen an.

Auf Wiedersehen, sagte er und legte auf.

Sie nahm den Hörer nicht vom Ohr, niemand vermißt dich, wiederholte sie verständnislos, sie kommen gut ohne dich zurecht.

Sie horchte angespannt, als müßte sie die Verbindung über den Atlantik offenhalten und doch noch die Stimmen ihrer Kinder mit aller Kraft des Wünschens, die sie aufbringen konnte, herbeizwingen, ihre verschlafenen Morgenstimmen, hallo, Mami? ...

Aber sie vernahm nur das gleichmäßige Rauschen, wie von einem fernen Planeten, ein Rauschen, als finge sie den Ton des Weltraums ein, die ganze uferlose Schwärze, die sich wie ein Trichter öffnete und alles in sich aufnahm, Europa, Amerika und die riesige Wasserfläche, die sie voneinander trennte, alles, was jemals in ihrem Leben geschehen war und was noch kommen würde, und auch sie selber, wie sie betäubt und orientierungslos auf dem Bett saß, die Kälte des leeren Universums in ihren Gliedern, aus Zeit und Raum gehoben, ohne jegliches Gefühl.

Als sie vom Bettrand aufstand, registrierte sie mit Erstaunen, daß ihre fühllosen Beine sie tatsächlich trugen. Sie stand mitten im Raum, das Telefon in der Hand, und wartete, daß etwas wiederkäme, daß etwas anfinge, daß sie zumindest auf dem Boden aufschlüge, auf dem sie eben noch gestanden hatte. Die Zeit war zwischen ein Uhr nachts und sieben Uhr morgens zum Stillstand gekommen, und Lillian war doch noch in ihren Spalt gestürzt und hatte sich den Wunsch erfüllt, zu sterben und danach fortzuleben, mit einem Gedächtnisschwund dazwischen. Aber es war kein

Gedächtnisschwund, sie konnte sich genau erinnern, man hatte sie auf beiden Seiten aufgegeben, einer Verlassenheit preisgegeben, in der sie den Abstand zum nächsten Anhaltspunkt nicht mehr erkennen konnte.

Es war ein Gefühlsschwund, den sie verwundert feststellte. Warum fange ich nicht an zu weinen, warum empfinde ich nichts, weder Haß noch Zorn, nur diese Kälte in den Beinen, nur diesen Nebel im Kopf. Hatte sie nicht noch etwas vollenden wollen, oder lag auch das bereits hinter ihr? Etwas Endgültiges nach all den Anfängen, die versandet waren? Es mußte etwas sein, das sie allein vollbringen konnte, etwas, das unumkehrbar war, etwas ganz Neues, noch nie Dagewesenes. Sie durfte tollkühn sein, sie brauchte keine Rücksicht mehr zu nehmen, sie nahm in niemandes Leben mehr den geringsten Platz ein.

Unbeteiligt nahm sie wahr, wie die Betäubung schwand und die Gedanken wiederkamen, langsam, einer nach dem anderen, aber mit großer Ruhe und einer Deutlichkeit, die sie faszinierte. So klar hatte sie nie zuvor denken können, immer hatten Gefühle ihr den Verstand vernebelt, die hatte sie nun überholt, oder sie waren einfach abgestorben. Sogar der Schmerz war weg, sie war so uneinholbar weit in eine menschenleere Freiheit vorgestoßen, daß es Gefühle nicht mehr gab, nur mehr Notwendigkeiten, die sie erfüllen mußte, ohne auszuweichen und ohne Rücksicht.

Es war ein kurzer, gerader Weg, den sie zu gehen hatte, sie hatte alle möglichen Wege bereits eingeschlagen, und keiner hatte an ein Ziel geführt. Es war an der Zeit, mit den Anfängen aufzuhören und an ein Ende zu kommen. An ein endgültiges Ende. Man mußte alle

Anfänge vernichten. Denn wenn keine Zukunft mehr möglich war, wer brauchte dann die Vergangenheit und ihre Unordnung? Es gab zwischen den Gedanken Sprünge, die sich nicht überbrücken und nicht füllen ließen, das mußte von der Kälte kommen und davon, daß alle Anhaltspunkte fehlten.

Noch etwas anderes faszinierte sie, daß ihre Glieder und ihr Körper wie von selber funktionierten, als kämen die Impulse, die sie steuerten, von einem unbekannten Zentrum weit außerhalb. Unsicher zwar, aber ohne Stolpern trugen die Beine sie über die Treppe, in die verlassene Finsternis der Diele, ihre Hand fand sofort den Lichtschalter. Da stand der Schaukelstuhl des Vaters vor dem Fernseher, daneben stand das Tischchen mit den beschriebenen Blättern, seinen Werbetexten. Sie nahm die Gegenstände wahr, als müsse sie sich erst auf ihre Funktion besinnen, ihre Gedanken stießen gegen sie wie gegen Widerstände. Ein Kugelschreiber lag quer über dem beschriebenen Papier. Sein Tagwerk, dachte sie, und stellte sich vor, wie er oben schlief, sie stellte sich Lisa vor in ihrem Bett und wie sie friedlich schlief, und Alan, neben einer anderen.

Und plötzlich, nach der langen Stille, stürzten die Gefühle über sie herein, Verlassenheit und Wut, Haß, Schmerz, so heftig, daß sie es nicht ertragen konnte, ohne sich zu wehren. Sie knüllte die beschriebenen Blätter zusammen, zerriß sie, warf sie auf den Boden und hatte einen Einfall. Sie holte Späne vom Kamin und frische Holzscheite und nahm sich keine Zeit zu überlegen, sie brauchte keine Rücksicht mehr zu nehmen, man hatte sie von jeder Zugehörigkeit befreit. Das Feuerzeug lag griffbereit auf dem Kaminsims. Sie hatte nicht die Zeit zu denken, ich bring ihn um, sie beeilte sich, um mit ihren Handgriffen ihrem Schmerz zuvorzukommen, sich gegen ihre Angst vor der Verlassenheit zur Wehr zu setzen.

Sie empfand kein Entsetzen, als sie das Feuer knistern hörte, höchstens Erstaunen über seine Schönheit, vielleicht einen Augenblick Erleichterung bei seinem Anblick, wie es geschmeidig über die Maserung der Späne leckte. Erst als es sich in den Teppichboden fraß und auseinanderlief, packte sie blinde Angst, wie sie die Tiere vor dem Feuer haben. Sie war nicht darauf vorbereitet, hatte es nicht geplant. Der Rauch trieb sie zur Tür. Erst in der Kühle des Nachtwinds kehrte die Wärme in ihre Glieder zurück, und sie begann zu laufen, sie lief zum dritten Mal an diesem Tag zum Strand, während in Dennis die Sirene zu heulen anfing.

Hella Eckert
Hanomag

Roman, 1998, gebunden, 192 Seiten

»Es geschah in jenem verrückten Sommer, als ich sechzehn wurde. Mein Vater kam ins Gefängnis, und meine Mutter lernte einen Mann kennen.« …

Mit einem Kleinlaster brechen Vater, Mutter und Tochter aus dem ländlichen Süden auf. Sie lassen sich am Meer nieder, zwischen Hafenbecken, Containern und einer Bar. Niemand hat auf sie gewartet. Der Vater verläßt sich auf die falschen Ratgeber, das große Geschäft bleibt aus, und ein Unglück geschieht. Doch zum Schluß bekommen sie eine zweite Chance. –

Eine Geschichte von Glücksträumen und Versagensängsten, die den Geist der 60er Jahre verströmt, unsentimental, doch voller Wärme erzählt.

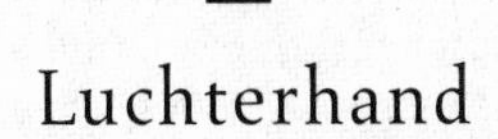

Luchterhand

Anna Mitgutsch im dtv

»Hier ist eine Autorin am Werk, die in puncto psychologischer Kompetenz nicht so leicht ihresgleichen hat.«
Dietmar Grieser in der ›Welt‹

Die Züchtigung
Roman
dtv 10798
Eine Mutter, die als Kind geschlagen und ausgebeutet wurde, kann ihre eigene Tochter nur durch Schläge zu dem erziehen, was sie für ein »besseres Leben« hält. Ein literarisches Debüt, das fassungslos macht. »Dieses Buch muß gelesen werden …, weil es eines der wenigen Bücher ist, die in ihren Leser/innen etwas bewirken, etwas bewegen, vielleicht auch etwas verändern.«
(Ingrid Strobl in ›Emma‹)

Das andere Gesicht
Roman
dtv 10975
Sonja und Jana verbindet von Kindheit an eine fragile, sich auf einem schmalen Grat bewegende Freundschaft. Später gibt es Achim, den beide lieben, der beide begehrt, der sich – ein abenteuernder, egozentrischer Künstler – nicht einlassen will auf die Liebe …

Ausgrenzung
Roman · dtv 12435
Die Geschichte einer Mutter und ihres autistischen Sohnes. Die Geschichte einer starken Frau und eines zarten Kindes, die sich selbst eine Welt erschaffen, weil sie in der Welt der anderen nicht zugelassen werden.

In fremden Städten
Roman · dtv 12588
Eine Amerikanerin in Europa – zwischen zwei Welten und keiner ganz zugehörig. Sie verläßt ihre Familie in Österreich, wo sie sich nie zu Hause gefühlt hat, und kehrt zurück nach Massachusetts. Dort versucht sie an ihr früheres Leben und ihre Herkunft anzuknüpfen. Doch ihre Erwartungen wollen sich auch hier nicht erfüllen …
»Mitgutsch schreibt aus dem Zentrum des Schmerzes, und sie schreibt, als ginge es um ihr Leben.«
(Erich Hackl in der ›Zeit‹)

Marlen Haushofer im dtv

»Was das Werk der Österreicherin prägt und es so faszinierend macht, ist bei all seiner Klarheit sanfte Güte und menschliche Nachsicht für die ganz alltäglichen Dämonen in uns allen.«
Juliane Sattler in der ›Hessischen Allgemeinen‹

Begegnung mit dem Fremden
Erzählungen
dtv 11205

Die Frau mit den interessanten Träumen
Erzählungen
dtv 11206

Bartls Abenteuer
Roman
dtv 11235
Kater Bartl, Held der Katzenwelt und unumstrittener Liebling von Eltern und Kindern.

Wir töten Stella und andere Erzählungen
dtv 11293
»Marlen Haushofer schreibt über die abgeschatteten Seiten unseres Ichs, aber sie tut es ohne Anklage, Schadenfreude und Moralisierung.« (Hessische Allgemeine)

Schreckliche Treue
Erzählungen
dtv 11294
»…Sie beschreibt nicht nur Frauenschicksale im Sinne des heutigen Feminismus, sie nimmt sich auch der oft übersehenen Emanzipation der Männer an…« (Geno Hartlaub)

Die Tapetentür
Roman
dtv 11361
Eine berufstätige junge Frau lebt allein in der Großstadt. Die Distanz zur Umwelt wächst, begleitet von einem Gefühl der Leere und Verlorenheit. Als sie sich verliebt, scheint die Flucht in ein »normales« Leben gelungen…

Eine Handvoll Leben
Roman
dtv 11474
Eine Frau stellt sich ihrer Vergangenheit: Zwei Jahrzehnte sind vergangen, als sie unerkannt in das Haus ihrer Familie zurückkehrt. Sie hat damals eine Ehe und eine Affäre aufgegeben. Nun steht sie ihrem Sohn gegenüber.

Binnie Kirshenbaum im dtv

Wer etwas vom Seiltanz über einem Vulkan lesen will, also von den Erfahrungen einer kühnen Frau mit dem männlichen Chaos, dem sei Binnie Kirshenbaum nachdrücklich empfohlen.«
Werner Fuld in der ›Woche‹

Ich liebe dich nicht und andere wahre Abenteuer
dtv 11888

Zehn ziemlich komische Geschichten über zehn unmögliche Frauen. Sie leben und lieben in New York, experimentierfreudig sind sie alle, aber im Prinzip ist eine skrupelloser als die andere...
»Scharf, boshaft und irrsinnig komisch.« (Publishers Weekly)

Kurzer Abriß meiner Karriere als Ehebrecherin
Roman · dtv 12135

Eine junge New Yorkerin, verheiratet, linkshändig, hat drei außereheliche Affären nebeneinander. Sie lügt, stiehlt und begehrt andere Männer. Daß sie ein reines Herz hat, steht außer Zweifel. Wenn sie nur wüßte, bei wem sie es verloren hat, gerade. »In diesem unkonventionellen Roman ist von Skrupeln keine Rede. Am Ende fragt sich der Leser amüsiert: Gibt es eine elegantere Sportart als den Seitensprung?«
(Franziska Wolffheim in ›Brigitte‹)

Ich, meine Freundin und all diese Männer
Roman · dtv 24101

Die beiden Freundinnen Mona und Edie haben sich im College kennengelernt und sofort Seelenverwandtschaft festgestellt. Sie sind entschlossen, ein denkwürdiges Leben zu führen. Und dabei lassen sie nichts aus... »Teuflisch komisch und frech. Unbedingt lesen!« (Lynne Schwartz)